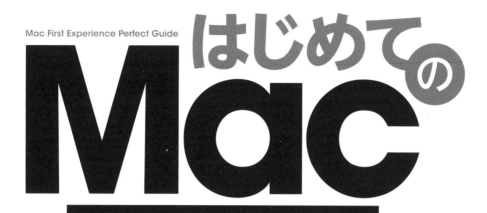

Mac First Experience Perfect Guide

はじめての Mac パーフェクトガイド 2022

JN063776

WARNING! 必ずお読みください

本書掲載の情報は、2021年11月26日現在のものであり、各種機能や操作方法、価格や仕様、WebサイトのURLなどは変更される可能性があります。本書の内容はそれぞれ検証した上で掲載していますが、すべての機種、環境での動作を保証するものではありません。以上の内容をあらかじめご了承の上、すべて自己責任にてご利用ください。

CONTENTS

1章
Macの超基本 9

5章
iPhoneやiPadをMacと上手く使う ……81

→ 読 者 だ け の 特 典 ！！

テクニック集PDF をダウンロードしよう!

誌面ではスペースの都合上、紹介できなかったキメ細かいテクニックをまとめたPDFをダウンロードして読んでいただけます。以下のサイトにアクセスして、「書籍を検索する」の部分に本書の書名を入力し、本書の紹介画面を表示させてください。画面を下にスクロールさせると「データダウンロード」の詳細がありますので、指示に従ってボタンをクリックし、パスワードを入力してもらえばダウンロードができます（半角英数字で入力・大文字小文字の区別あり）。

https://www.standards.co.jp

絶対役立つテクニックが
30ページ分入ってます!

Mac
というコンピュータ
～ その 魅 力 と 特 徴 を 探 る ～

Macとはどんな
コンピュータなのか

　1984年に登場した初代Macintoshから、連綿と受け継がれているアップルのパソコン「Mac」。長い歴史の間には浮き沈みもありましたが、近年はこれまでの主要ユーザーだった出版・デザインや音楽、教育分野だけでなく、ビジネスや家庭用パソコンとしても人気を集めつつあるようです。

　では、Macとはどのようなコンピュータなのでしょうか。その特徴や魅力を探ってみることにしましょう。

デザインとパワーを
兼ね備えたMac

　Macを語るうえでまず触れなければいけないのが、その洗練されたデザインでしょう。シンプルでありながら、アップルらしさをしっかりと主張するデザインは、ボディに配されたアップルロゴと相まって「所有する喜び」を感じさせてくれます。

　一方でMacには最新のCPUやインターフェイスなど、先端のテクノロジーが注ぎ込まれているのも特徴です。美しい外観と先鋭的なパフォーマンスを兼ね備えたコンピュータ、それがMacなのです。

iPhone、iPadの
ベストパートナー

　もしあなたがiPhoneやiPadを使っているのなら、Macは最高のパートナーになってくれます。同期やバックアップはもちろんですが、無料で使えるクラウドサービス「iCloud」を使えば、Macとこれらの端末をスムーズかつ自然に連携できます。MacとiPhone、iPadを組み合わせれば、それぞれのポテンシャルを最大限に引き出すことができるでしょう。何も面倒な設定は要りません。Apple IDを登録するだけですべてがつながります。

「ミュージック」で音楽ファイル
を同期し、「写真」アプリで写真
を同期できる

iCloudを使えば、Mac
とiOSデバイス同士を同
期したり、さまざまな連
携機能が利用できます。

iCloud

連絡先やイベントなどを
常に同期して管理したり
アプリの作業を引き継ぐなどの連携も可能

2019年の「Catalina」以降のmacOS
と、iPadOSの組み合わせなら、Macア
プリでApple Pencilを利用する「サイ
ドカー」という超便利機能も使えます。

Macには最初から基本的なアプリが
揃っています。Mac App Storeを
使えば、アップル製のオフィスアプリ
やムービー編集ソフトも無料でダウ
ンロードできます。

macOSの画面はとても
シンプル。マウスやトラッ
クパッドを使って、直感的
に操作できます。

シンプルで奥深い
macOSの魅力

　次に、Macの中身に目を向けてみましょう。Macの基本ソフト「macOS」は、マウス／トラックパッドでの操作を基本とした統一感のあるインターフェイスが特徴です。アプリケーションごとに操作方法が変わってしまうといったことがほとんどないため、ビギナーでも基本を覚えれば、すぐに直感的に使いこなせるようになります。

　さらに、長い歴史の中で考案されたジェスチャやキーボードを組み合わせた操作方法を覚えれば、Macをさらに自由自在に操ることができます。使い込むほどに、まるで高級な筆記具や手帳のように手に馴染む感覚を体験できるでしょう。

　また、アプリケーションが充実しているのもMacの魅力の一つ。Webブラウザやメール、メッセージ、メディアプレイヤーといった基本的なアプリケーションは初めから使えるようになっていますし、Mac App Storeを使えば、アップルから提供されている表計算やワープロ、ビデオ編集アプリまで無料で利用することができます。さらにこれらのアプリは、iPhoneやiPadと簡単に連携可能です。

　もちろんプロフェッショナル向けのデザインやビジネス向けアプリも充実。便利なフリーソフトも数多くリリースされています。Macは、あらゆるユーザーのニーズに応えてくれるでしょう。

あなたにピッタリの
Mac活用法を!

　スタイリッシュなボディに最新技術が詰め込まれたMacはきっとあなたの頼もしい相棒になってくれるはずです。ぜひ、あなたのライフスタイルに最適なMacの活用法を、発見してみてください。

現在のMacの ラインナップを おさらいしよう

現在販売されているMacは、5シリーズです。ノート型ではエントリー向けの「MacBook Air」と、「MacBook Pro」があります。一体型デスクトップ型である「iMac」、それに加えディスプレイのない「Mac mini」やハイエンド機である「Mac Pro」が存在します。これからMacを買う予定の人は、各シリーズの特徴を知り、自分に最適なMacを選びましょう。

(価格は2021年11月現在の
Apple Storeでの税込み価格です)

MacBook Air

2021年10月26日に、Apple独自の最新チップ「M1 Pro」「M1 Max」を搭載した最新のMacBook Proが発売されました。この凄まじくハイスペックな2機種は次ページで紹介しますが、これからMacを買いたい、という人に最もおすすめな機種は2020年に発売された「MacBook Air」です。最新機種ではありませんが、これも「M1」チップを搭載しており、処理速度の速さは以前までのモデルとは比較になりません。さらに18時間持続する驚異のバッテリー、コンパクトな筐体、そしてなんといっても非常に低価格な点が魅力に溢れています。

ストレージは256GBと512GB、またApple Store以外ではメモリが8GBのモデルしか選べませんが、8GBでも一般的な作業には充分対応できます。動画編集や画像編集、デザイン用途に考えているならメモリは16GBにしておくほうが安心です。

▮ MacBook Air

CPU	M1
メモリ	8GB(最大16GB)
ストレージ	SSD(最大2TB)
ディスプレイ	13.3インチ Retinaディスプレイ
解像度	2,560×1,600ピクセル
サイズ	W304.1×H16.1×D212.4mm
重量	1.29kg

8コアCPU 7コアGPU
256GBストレージ
115,280円

▌MacBook Pro
14インチ

CPU	M1 Pro (M1 Maxに変更可能)
メモリ	16GB(最大64GB)
ストレージ	SSD(最大8TB)
ディスプレイ	14.2インチ Liquid RetinaXDRディスプレイ
解像度	3,024×1,964ピクセル
サイズ	W312.6×H15.5× D221.2mm
重量	1.6kg

8コアCPU 14コアGPU
512GBストレージ
239,800円

NEW!

▌MacBook Pro
16インチ

CPU	M1 Pro (M1 Maxに変更可能)
メモリ	16GB(最大64GB)
ストレージ	SSD(最大8TB)
ディスプレイ	16.2インチ Liquid RetinaXDRディスプレイ
解像度	3,456×2,234ピクセル
サイズ	W355.7×H16.8× D248.1mm
重量	2.1kg

10コアCPU 16コアGPU
512GBストレージ
299,800円

NEW!

▌MacBook Pro
13インチ

CPU	M1
メモリ	8GB(最大16GB)
ストレージ	SSD(最大2TB)
ディスプレイ	13.3インチ Retinaディスプレイ
解像度	2,560×1,600ピクセル
サイズ	W304.1×H15.6× D212.4mm
重量	1.4kg

8コアCPU 8コアGPU
256GBストレージ
148,280円

MacBook Pro
シリーズ

2021年の最新MacBook Proは、筐体も変更され、完全なるプロユース・マシンとして衝撃的に登場しました。2020年に登場して、驚異の処理速度で話題となった「M1」チップがさらにアップデートされ「M1 Pro」「M1 Max」の2タイプとなり、14インチモデル、16インチモデルにそれぞれラインナップされています。

また、ここ数年はMacBookの横のポート類は減る一方の流れでしたが、この最新機種では、MagSafe(電源ポート)、SDカードスロット、HDMIポート、Thunderbolt 4ポート×3と、大幅に増えて使い勝手が極めて快適になりました。逆に不人気だったTouch Barはなくなっています。

さらにディスプレイも美しいLiquid Retina XDRディスプレイ(ProMotionテクノロジーにより、最大120Hzのリフレッシュレート)になり、スピーカーは低音も堪能できる超高音質に、メモリは標準で16GBが実装(最大64GB)され、ストレージも選べる幅が多彩(最大8TB)となり、間違いなく最上級のノートPCとなりました。全体的に今回の最新2機種の変更点は、MacBookユーザーの要望がとても素直に反映された変更だったといえるでしょう。

一般的な作業のみなら、間違いなく持て余してしまうスペックですが、動画編集や専門業務に使うなら速いに越したことはありません。価格も踏まえて検討する価値は多いにあるでしょう。

そこまでのスペックは必要としていないなら、2020年発売の13インチモデルのMacBook Proは今でも検討する余地はあるでしょう。「Air」ほどの低価格ではないですが、M1チップの処理速度をコンパクトな13インチボディでしっかりと体感できるマシンで、Airにはないファンを持ち冷却性に優れ、スピーカーも高音質で捨てがたいマシンです。

iMac シリーズ

ディスプレイ一体型のMacで、デスクトップマシンとして動画編集、デザインなど、あらゆる用途に広く使われているシリーズです。今選ぶなら、やはりM1チップを搭載したiMac 24インチモデルでしょう。M1の高速な処理速度を、MacBookより大きく広い24インチ（4.5K!）の画面で扱うことができ、価格もかなりリーズナブルです。持ち歩く必要がないならベストな選択でしょう。

27インチモデルは、画面が5K（5,120×2,880ピクセル）の広さがあるのが魅力です。また、インテルのチップを使っているので、M1 Macのアプリ互換性に不安がある場合などはこちらを選ぶ考え方もあります。

Mac mini

2020年に発売されたこのMac miniには、M1チップが搭載されており、79,800円（税込み）で購入できるコンピュータとしては世界最高峰のコストパフォーマンスを誇る機種といえるでしょう。ディスプレイは既存のものを使用、キーボード、マウスもあるなら、このminiで超低価格ながら快適なMac環境を手に入れることができます。M1のMacBookと違って、ディスプレイを2台接続できる点も重要です。Windowsからの乗り換えや買い足しにも最適です。

Mac Pro

2019年末に発売された、デザインもスペックも価格もモンスターなマシンです。格子パターンのハウジングに包まれ、内部へのアクセスも簡単で拡張性も高い筐体を採用しています。Xeon Wのプロセッサは、8〜28コアから選択でき、メモリは最大で1.5TBを搭載できます（24コア以上のプロセッサの場合）。これに合わせるディスプレイには、同時に発売された「Pro Display XDR」がベストでしょう。

NEW!

iMac 24インチモデル

CPU	M1
メモリ	8GB(最大16GB)
ストレージ	SSD(最大2TB)
ディスプレイ	24インチ4.5K Retinaディスプレイ
解像度	4,480×2,520ピクセル
サイズ	W547×H461×D147mm
重量	4.46kg

8コアCPU 7コアGPU
256GBストレージ
154,800円

iMac 27インチモデル

CPU	第10世代Intel Core i5 (Core i7も選択可能)
メモリ	8GB(最大128GB)
ストレージ	SSD(最大8TB)
ディスプレイ	27インチ5K Retinaディスプレイ
解像度	5,120×2,880ピクセル
サイズ	W650×H516×D203mm
重量	8.92kg

3.1GHz 6コア第10世代Intel Core i5
256GBストレージ
213,800円

Mac mini

CPU	M1
メモリ	8GB(最大16GB)
ストレージ	SSD(最大2TB)
ディスプレイ	なし
解像度	最大6K(60Hz) のディスプレイ1台と最大4K(60Hz) のディスプレイ1台に対応
サイズ	W197×H36×D197mm
重量	1.2kg

8コアCPU 8コアGPU
256GBストレージ
79,800円

Mac Pro

CPU	Intel Xeon W
メモリ	32GB(最大768GB)
ストレージ	SSD(最大8TB)
ディスプレイ	なし
解像度	最大6台の4Kディスプレイ、または2台の5Kディスプレイ、または2台のPro Display XDRに対応
サイズ	W529×H450×D218mm
重量	18kg

3.5GHz 8コアプロセッサ
256GBストレージ
659,780円

1章

Macの
超基本

REAL BASICS OF Mac

Macを買ったばかりの人、これから買いたいと思っている人、しばらく前にMacを買っていながらも挫折した人……まずはここから読んで「Mac」というパソコンはどういうものなのか、どんな操作をするのかを理解してください。

Macユーザーなら
ぜひマスターしたい

7つの機能!

Macで絶対使うべき便利機能はコレだ!

パソコン初心者でも直感的に使えるのがMacの魅力です。Macには標準でさまざまな便利機能が用意されています。そんな数ある機能のうち、特にマスターしておきたいテクニックを紹介しましょう。

話しかけて
さまざまな操作を実行
Siri

スポーツの結果や天気はもちろん、電話をかけたり、メールを送ったり、何でもやってくれる!

Macに向かって話しかけることで、さまざまな処理が行える音声アシスタント機能です。ためしにSiriアイコンをクリックするか、commandキーとスペースキーを押したままにしてSiriを起動し「いま何時?」と話しかけてみてください。Macが音声で現在時刻を教えてくれます。Siriを使えば、キーボードやマウスを操作することなく情報を調べたり、メモやスケジュールの作成、Macをスリープさせるなど、多くの操作が行えます。

あらゆるデータを
素早く検索
Spotlight

自分のMac内の情報だけでなく、ネットの情報も探せるのが大きなポイント!

Macに保存されているファイルやインターネットの情報を素早く検索できる機能。controlキーとスペースキーを同時に押すと検索ウィンドウが開くので、検索したいキーワード(一部でも可)を入力すれば、瞬時に結果が表示され、直接開くことができます。アプリを素早く探して起動したり、ミュージックアプリを起動することなく聴きたい曲を探して再生するなど、Macの操作を格段に効率化することができます。

デスクトップを
賢く使い分ける
Mission
Control

使っていくうちに、デスクトップを何の基準で切替えればベストなのかがわかってくる!

複数のデスクトップ画面を作成し、切り替えながら利用できる機能です。たとえばメールとカレンダー、Safariとメモのように用途ごとにデスクトップを使い分ければ、作業効率もアップ。特に画面スペースの狭いMacBookでは必須のテクニックでしょう。Mission Controlは、controlキーを押しながら上矢印キーで起動し、デスクトップの管理が行えます。またデスクトップの切り替えは、control+左右の矢印キーで素早く行うことができます。

ファイルの確認が
とても快適になった!

Finder

4つの表示方法とクイックルックを使いこなせばファイルはすぐ探し出せる!

MacのFinderはとてもカンタンにファイルの選択、管理ができます。目的に応じてアイコン表示、リスト表示、カラム表示、ギャラリー表示を切り替えてファイルを操作できます。また、複数のタブで管理できるため、大量のファイルも処理しやすくなっています。特定のファイルを選択した状態でスペースキーを押せばクイックルックが起動し、さらに大きく表示されます。その状態からファイルのマークアップ(編集)も可能です。

ジェスチャでMacを
自由自在に操作

トラックパッド

超多機能なのに、身体になじむコントロール感で自然に身につけられる!

MacBook内蔵のトラックパッドの機能は、単にマウスポインタを操作するだけではありません。複数の指で操作するマルチタッチジェスチャーに対応しており、Macのさまざまな操作を素早く実行できます。たとえばSafariでの「戻る/進む」や、デスクトップの切り替え、マップや写真の「拡大/縮小/回転」などの操作が快適になります。同様のジェスチャはiMac付属のMagic Mouseや別売のMagic Trackpadでも行うことができます。

iPhoneやMacと
無料通話できる

FaceTimeと
メッセージ

FaceTimeオーディオの高音質を体験すると、通常の電話の音質がとっても不満!(笑)

Apple IDを取得すれば、Mac同士やiPhone、iPad、iPod touchユーザーと簡単にコミュニケーションできます。FaceTimeでは無料のビデオ/音声通話が、メッセージではテキストメッセージやファイルのやりとりが楽しめます。面倒な設定は一切不要。アプリにApple IDを登録したら、あとは相手のApple ID(iPhoneなら電話番号でもOK)を指定するだけで、Macから電話をかけたりメッセージを送信できます。

MacとiPhone、
iPadを連携

iCloud

外出先では、iPhoneやiPadがほぼMacと同じレベルで仕事にも遊びにも戦力になる!

iCloudは、アップルが提供するクラウドサービスです。Apple IDを取得すると、無料で5GBの容量とメールアドレスがもらえ、連絡先やカレンダーなどの個人データやファイルをネット上に同期できます。iPhoneやiPadを使えば、iCloudを経由して個人データやSafariのブックマークなどを同期したり、クリップボードの同期など多彩で便利な連携機能が利用可能です。iPhone、iPadユーザーはぜひ活用しましょう。

Mac本体の機能とポート類 をチェックしよう

ポートの数と拡張性はモデルによってバラバラ！

　Macには一般ユーザー向けとして、デスクトップ型のiMac、Mac miniシリーズとノートパソコン型のMacBookシリーズが提供されています。ともに内蔵アプリケーションやOSは同じですが、本体にあるポート類や付属アクセサリにおいて大きな違いがあります。　iMacは、2021年の24インチモデルはデザインが一新され、それまでの拡張性の高い仕様から、シンプルなUSB 4（Thunderbolt 4）ポートを備えるのみとなりました（下位モデルの場合）。キーボード、マウスは付属しています。Mac miniは、USB 4（Thunderbolt 3）ポート、HDMIポート、USB-Aポート、Ethernetポートなどが装備されており、低価格の割には拡張性があります。

　MacBookシリーズは、ポート類が充実しており拡張性の高い最新のMacBook Proシリーズと、それ以外に分けられます。最新のMacBook Proシリーズ（14、16インチモデル）は重量が重いものの、SDXCカードスロット、HDMIポート、MagSafeポート、3つのThunderbolt 4ポートと、非常に充実しています。対して、13インチのMacBook Air、ProはThunderbolt 3ポートが2つあるだけとなっていますが、非常に軽量です。

iMacシリーズの 外観を見てみよう

FaceTime HDカメラ
ディスプレイの前に映っている人物をFaceTimeに映し出します。

液晶ディスプレイ
iMacではディスプレイと本体が一体化しています。

各種ポート類
iMacの各種ポート類は本体背面に用意されています。

iMacでは購入時の同梱物としてキーボードにMagic Keyboard、マウスにMagic Mouse2が装備されています。

Mac miniは、電源、USB、HDMI、ヘッドフォン端子などがすべて背面に装備されています。

MacBookシリーズの 外観を見てみよう

FaceTime HDカメラ
ディスプレイの前に映っている人物をFaceTimeに映し出します。

液晶ディスプレイ
MacBookもディスプレイ部分はiMacとほぼ同じです。ディスプレイと本体が一体化しています。

電源ボタン
MacBookの電源ボタンはキーボード右上にあります。

各種ポート類
MacBookの各種ポート類はキーボード側面部に用意されていますが。

トラックパッド
MacBookにはマウスが同梱されていない代わりにトラックパッドが用意されています。この上で指をなぞったり、押したりすることでマウスと同じ操作ができます。

アップル独自規格のポート Thunderboltに要注意！

Mac本体にはさまざまな形状のポートがありますが、Windowsと明らかに異なるのはThunderboltポートの存在でしょう。これはAppleが開発した高速通信規格「Thunderbolt」を活用するためのポートで、USB-Aよりも多機能、高性能なものです。充電もできれば、映像出力も可能、もちろんデータ転送も可能と、多くの目的に利用できます。

Mac miniや旧型iMac、最新のMacBook ProにはUSB-C以外にも、SDXCカードスロット、USB-AやHDMIなど、さまざまな種類のポートがたくさん搭載されているので問題はないですが、注意したいのは2016〜2020年のMacBook Pro、Airのユーザーです。一般的なUSB-Aポートが1つもなく、データ転送用ポートはUSB-Cタイプのみです。そのため、従来のUSB-Aタイプの外付けの周辺機器はそのままでは利用できず、別途変換コネクタを用意する必要があります。

Mac miniのポートをチェック

MacBook Pro 14インチ、16インチモデルのポートをチェック

2021年の最新MacBook Proには、SDXCカードスロット、HDMIポート、MagSafeポート、3つのThunderbolt 4ポートが備わっています。

MacBook Pro（2016〜2020）のポートをチェック

この時期のPro、Air、無印MacBookはUSB-Cポートが1〜2個あるだけです。

ここがポイント

MacBookで周辺機器を快適に使うには？

2016〜2020年のMacBook Air、MacBook Proの充電は、付属のACアダプタとUSB-Cケーブルを利用します。USB-Cポートが2つしかない機種では、多くのUSB機器を利用したい場合が多いならばUSB-Cハブを用意しておくと便利です。HDMIやUSB-A、SDカードなどを快適に利用できるようになります。写真の製品は「Satechi製のマルチUSB-Cハブ」（実勢価格：8,000円）です。

Macの気になるガジェット

Apple Touch ID対応 Magic Keyboard
価格：15,162円（Amazon）

24インチiMacと同時に登場したApple純正のキーボードでTouch IDが利用でき、コンパクトサイズで打鍵感も好評な使いやすいキーボードです。iPadに接続して使うこともできます。

Belikin USB-Cハブ ドッキングステーション
価格：16,980円（Amazon）

2020年に発売されたM1のMacBook Air、Proは低価格ですが、外部ディスプレイが1台しか接続できないのが欠点。この周辺機器を使えば、1080p表示ですが2台のディスプレイを接続できます。

サンワダイレクト トラックパッド Mac Windows対応
価格：4,980円（Amazon）

有線接続で安価にトラックパッドとして利用できるツール。Apple純正のMagic TrackPadのようなスムーズ感はないものの、左手用に置くなどサブ的な利用法には便利です。

Macの起動と終了方法を理解する

起動は電源ボタンを押す 終了はアップルメニューから

Macを起動するにはiMacやMac miniなどのデスクトップ機であれば本体背面にある電源ボタンを押します。またMacBookの場合はキーボード上にある電源ボタンを押します。Macを初めて起動すると初期設定画面が表示されますが、ここではキーボードやマウスを操作できるようにしておく必要があります。iMacに同梱されているMagic Mouse2とMagic Keyboardは、ともにBluetoothによるワイヤレス接続になっており、側面にあるスイッチを有効にすることで、自動的にiMacに接続して操作できるようになります。

初期設定で設定する項目は、Wi-Fi設定やApple ID設定など重要なものも多いですが、あとからでも設定は可能です。なお、Windowsのデータを移行したい場合は、初期設定画面で表示される「移行アシスタント」(3章で詳細解説) を使ってデータの移行を行うとよいでしょう。

Macを終了する場合は、デスクトップ左上にあるアップルメニューを開き「システム終了」を選択しましょう。ほかにWindowsの終了メニューと同じく「再起動」や「スリープ」も用意されています。またフリーズなど、なんらかの形でMacの終了ができなくなった場合は、電源ボタンを押し続けることで強制終了することができます。

Macの電源を入れてみよう

iMacやMac miniなどので電源を入れるには、本体背面にある電源ボタンを押します。

MacBookで電源を入れるには、キーボード右上端にある電源ボタンを押します。

Magic Mouse2とMagic Keyboardを使えるようにする

Magic Keyboardは側面部にスイッチがあります。動かして緑色にすると有効になります。なお真ん中にあるポートで付属のLightningケーブルとMacをつないで充電できます。

Magic Mouse2は裏面にスイッチが用意されているので有効にしましょう。なおMagic Mouse2も充電式で裏にあるポートに付属のLightningケーブルとMacをつないで充電します。

Macを終了させる

「システム終了」を選択

Macを終了させるには、左上にあるアップルメニューを開いて、「システム終了」をクリックします。

そのまま何も操作をしないと60秒後にMacが終了します。「キャンセル」を押せば終了をキャンセルできます。

Macを強制終了する

電源ボタンを押し続ける

Macを強制的に終了したい場合は、電源ボタンをしばらく押し続けましょう。しばらくすると電源がオフになります。

CHECK!!

再起動時に前のアプリを起動させないようにする

「再ログイン時にウインドウを再度開く」にチェックを入れると、再起動時に終了前に開いていたアプリのウインドウが自動で起動します。起動させたくない場合はチェックを外しましょう。

Macのパスワードを
設定する

Macは初めて起動したときのセットアップ画面でログインパスワードの設定を行います。このパスワードはスリープからログインしたときに現れる画面で、外部の人が勝手にMacに触れないようにするためのものです。定期的にパスワード変更をして、セキュリティを高めましょう。

1 システム環境設定画面からアクセスする

デスクトップ左上のアップルメニューから「システム環境設定」をクリックし、「セキュリティとプライバシー」をクリックします。

2 「パスワードを変更」をクリックする

①チェックを入れる　②クリック

「一般」タブを開き、「スリープとスクリーンセーバの解除にパスワードを要求」にチェックを入れて、「パスワードを変更」をクリックします。

3 変更後のパスワードを設定する

現在のパスワードを入力

新しいパスワードを入力

パスワード再設定画面が表示されるので、現在のパスワード、新しいパスワード、パスワードのヒントなどを入力して「パスワードを変更」をクリックしましょう。

4 変更後のパスワードを入力する

河本亮

起動時やスリープ画面から戻ると表示されるログイン画面で新しく設定したパスワードを入力しましょう。

CHECK!!

**自宅で1人で使っているなら
自動ログイン設定に**

デスクトップMacのユーザーで自宅で1人しかPCを使っておらず、セキュリティに危険を感じないならログイン画面をなくすのもよいでしょう。設定画面の「スリープとスクリーンセーバの解除にパスワードを要求」のチェックを外しましょう。

ここが
ポイント

**Apple Watchで
ロックを解除する**

Apple Watchを持っていれば、Apple Watchを装着した手を近づけるだけで、Macのロックを自動で解除してログインすることができます。「セキュリティとプライバシー」の画面で「Apple WatchでこのMacのロック～」にチェックを入れるだけです。なお事前にApple Watch側でパスコードを設定しておく必要があります。

Macの各種設定を変更するシステム環境設定パネル

デスクトップ左上端にあるアップルメニューから「システム環境設定」をクリックして現れるパネルは、Windowsでのコントロールパネル、iPhone/iPadでは設定アプリに相当する重要な場所です。macOSの設定に関する変更を行う場合の大半はこのパネルからアクセスすることになるので、必ず知っておきましょう。

1 システム環境設定を開く

システム環境設定を開くには、Dock上にある設定アイコンをクリックするか、左上端にあるアップルメニューを開いて「システム環境設定」を選択します。

2 システム環境設定画面をチェック

さまざまなアイコンが並んでいます。マウスやキーボード、ディスプレイ、ネットワークなどmacOSの各種カスタマイズはすべてこの画面から各設定画面にアクセスします。

トラックパッドとマウスの操作を覚えよう

マウスかトラックパッドの二通りの操作方がある

MacBookにはキーボードの下にトラックパッドと呼ばれる数センチ四方のスペースが用意されています。このパッドを指でなぞるとマウスポインターが動き、指で軽く叩くとクリック操作、2度連続で叩くとダブルクリック操作となります。マウス操作と同じことができるのですが、マウスにくらべてスペースを必要としないのがメリットで、喫茶店やファーストフードなど外出先でMacを操作するときに非常に役立ちます。トラックパッドで、以下で紹介しているような多彩な操作が用意されています。使いこなせるとMac操作が快適になります。

トラックパッドはiMacには搭載されていませんが、別売りのMagic Trackpad 2を購入することでトラックパッド操作が可能となります。

ノート型Macには標準で搭載されている

とても使いやすく、初めての人でもすぐに慣れるでしょう!

MacBook, MacBook Pro、MacBook Airなどのノート型Macは標準でキーボード下にトラックパッドが用意されています。

iMac、Mac mini ユーザーはMagic Trackpad 2を使おう!

値段は安くありませんが、マウスと違った快適さがあります。

iMacにはキーボードにトラックパッドが付属していません。マウスに加えて、トラックパッドも利用するには別売りのMagic Trackpad 2を購入する必要があります。
■スペック
名前:Magic Trackpad 2
販売:Apple,inc
価格:12,800円 (税別)

トラックパッドの基本的な操作を知ろう

1	**2**	**3**
カーソルを動かす	**クリック**	**右クリック**
トラックパッド上で指をなぞるとカーソルも同じ方向へ動きます。	一本指でトラックパッドを押すとクリックできます。「カチッ」と音がするまでトラックパッドを押しましょう。	二本指でトラックパッドを押すと右クリックになります。「カチッ」と音がするまでトラックパッドを押します。

トラックパッド操作を
使いやすくカスタマイズする

トラックパッド上で右クリックするには、二本指でクリックすればよいですが、使いづらいならカスタマイズしましょう。Windowsのマウス操作と同じく、トラックパッドの右下隅を右クリックボタンに変更することができます。

1 システム環境設定から
トラックパッドを開く

トラックパッドの設定を変更するには、アップルメニューから「システム環境設定」へと進み、「トラックパッド」をクリックします。

クリックとタップの
違いを知っておこう

トラックパッドの操作にはクリックとタップがあります。クリックはトラックパッドを強めに押して「カチッ」と鳴ったときの操作です。タップはトラックパッドに軽く触れるような操作です。クリックとタップで操作が変わるので注意しましょう。

2 副ボタンのクリックの
設定を変更する

「ポイントとクリック」を開きます。右クリックをトラックパッド右下を押す設定に変更したい場合は、「副ボタンのクリック」で「右下隅をクリック」に変更しましょう。

3 クリック操作を
タップ操作に変更する

トラックパッドでのクリックは「カチッ」っと音がするまで強めに押す必要がありますが、「タップでクリック」にチェックを入れると、軽く触れただけでクリックができるようになります。軽い力で操作できるので、こちらがオススメです。

4 カーソルの速度を
変更する

トラックパッド使用時のカーソルの速度を変更したい場合は、「軌跡の速さ」のスライドバーを左右に動かして調整しましょう。

！ここが
● ポイント

スクロールの方向を
変更する

Macのトラックパッドで上下にスクロールすると、Windows操作と異なり逆方向にスクロールしてしまいます。このスクロールの方向はトラックパッドの設定画面から変更することができます。「システム環境設定」から「トラックパッド」→「スクロールとズーム」へ進み、「スクロールの方向:ナチュラル」のチェックを外しましょう。

---

④ スマートズーム

2本指でトラックパッドを軽く連続でタップするとスマートズームになります。ウェブページやPDFで拡大縮小するときに利用します。

⑤ スクロール

二本指でトラックパッド上を上下にスライドするとスクロールできます。ウェブページを上下にスクロールするときに利用します。

⑥ 拡大・縮小

二本指を内から外へピンチで広げると拡大です。二本指を外から内へピンチで狭めると縮小できます。

Macならではの
トラックパッド操作

前ページで紹介した基本的な トラックパッド操作以外に、キー ボードのショートカットや特殊キー のようにMacの操作を効率化 するさまざまな操作が用意され ています。特にウインドウ操作や ウェブサーフィンを行うユーザー は覚えておいて損はないでしょ う。

1 ページを
戻る・進む

ブラウザ上で左右にスワイプ

ウェブページを表示中に2本指で左右にスワイプする と、前のページに戻ったり次のページに進んだりでき ます。

2 デスクトップを
移動する

四本指で左右にスワイプ

四本指で左右にスワイプすることで仮想デスクトップ を移動できます。トラックパッドの設定→「その他の ジェスチャ」から三本指に変えることも可能です。

3 デスクトップを
表示する

親指と3本指をピンチアウト

親指と3本指をピンチアウトのように広げると、デスク トップが表示されます。

4 Launchpadを
表示する

親指と3本指をピンチイン

親指と3本指をピンチインのように狭めると、Launc hpadが表示されます。

5 調べる＆
データ検出

単語を3本指でタップ

3本指で単語をタップすると単語を検索できます。ま た日付をタップするとその日付でカレンダーの予定 を新規作成できます。

！ここが
● ポイント

3本指でドラッグ操作を
行えるようにする

Macの初期設定では3本指を使ったドラッグ操作がオフにな っています。有効にするには「システム環境設定」→「アクセシ ビリティ」→「ポインタコントロール」→「マウスとトラックパ ッド」→「トラックパッドオプション」と進み「ドラッグを有効にす る」にチェックを入れ「3本指のドラッグ」を指定しましょう。

┃ トラックパッドでドラッグ＆ドロップするには

❶ ドラッグ対象のファイルを
指で長押しする

トラックパッドでのドラッグ操作は指を長押ししま す。ドラッグしたいファイルを親指もしくは人差し 指などで長押しした状態にします。

ファイルを長押しする

❷ 長押ししたままの状態で
指を動かす

長押ししたままの状態でドラッグしたい方向へな ぞります。するとファイルがドラッグできます。

 長押ししたまま動かす

CHECK!!

複数のファイルを選択
した状態にするには？

トラックパッドで複数のファイ ルを範囲選択する場合は、範囲 選択の開始点を親指、もしくは 人差し指などで長押しした状態 で、ほかの指で範囲選択したい 方向にドラッグしましょう。

iMacに付属している
Magic Mouse2の使い方

iMacでは購入時にMagic Mouse2というマウスが付属していますが、Windowsのマウスと形状が異なりボタンが一切存在していませんが使い方はトラックパッドとほぼ同じです。使いづらい場合はWindowsマウス用にカスタマイズしましょう。

1 システム環境設定から「マウス」を選択する

Magic Mouse2をはじめマウスの設定のカスタマイズは、「システム環境設定」画面の「マウス」から行えます。

2 マウスの右側を右クリックに設定する

「ポイントとクリック」タブを開き、「副ボタンのクリック」にチェックを入れ、プルダウンメニューで「右側をクリック」にチェックを入れましょう。

3 マウスのカーソルの速度を変更する

この画面では「軌跡の速さ」のスライドバーを左右に動かすことで、マウスカーソルの速度を調節することができます。

4 スクロールの方向を反対にする

マウスのスクロール方向は標準ではWindowsと逆になっています。「スクロールの方向:ナチュラル」のチェックを外すと、Windowsと同じ方向にスクロールするようになります。

CHECK!!

Windowsの右クリックメニューはMacにはもともと存在しない

Windowsでは当たり前だった「右クリックメニュー」は、元々標準マウスのボタンが1つしかなかったMacには存在しない操作です。後になって、Windowsの右クリックメニューに相当する操作として「副ボタン」という操作が用意されました。

ここが ポイント

普通のUSBマウスを使うときも設定を変更しよう

通常のマウスもUSB接続で利用することができます。その場合は副ボタンの設定変更をする必要なく、Windowsと同じように右クリックメニューが標準で利用できます。ただし、中央カーソルのスクロール方向は逆向きになっているのでマウスの設定画面を開いて「スクロール方向:ナチュラル」のチェックを外しておくと使いやすくなります。

Magic Mouse2の基本的なマウスジェスチャ

① スクロール

Magic Mouse2には通常のマウスのように中央にホイールがありませんが、一本指を上下にスライドさせるとスクロールできます。

② スマートズーム

1本指でダブルタップするとウェブページやPDFの拡大縮小ができます。

③ Mission Controlを起動する

2本指でダブルタップするとMission Controlを開くことができます。

Macをインターネットに接続して使う

Wi-Fiでの接続が基本だがiMacなら有線接続もできる

Macでインターネットを行うには一般的にWi-Fi（無線LAN）を利用します。現行のMacBookシリーズはEthernetポートがないため、Wi-Fiでのインターネット接続が基本になります。接続するにはデスクトップ右上のタスクバーにあるWi-Fiアイコンをクリックしましょう。接続可能な周囲のWi-Fiネットワークを一覧表示してくれるので、あとは適切なネットワークを選択して、ログインパスワードを入力するだけです。

なお、iMacやMac miniの場合はWi-Fi接続に加えて、本体背面に用意されたEthernetポートを使って有線LANでのインターネットもできます。そのままケーブルを差し込むだけで、たいていは利用できますが、環境によってはプロバイダへの接続設定をMac上で行う場合もあります。

Wi-Fi(無線LAN)でインターネットを行う

Wi-Fiで接続するにはタスクバー上にあるWi-Fiアイコンをクリックして接続先を選択しましょう。MacBookシリーズではWi-Fiでの接続が必須となります。

有線LANでインターネットを行う

iMacの場合

Mac miniの場合

iMacやMac miniにはWi-Fi接続のほかに、本体背面にあるEthernetポートにLANケーブルを差し込むことでインターネットが行なえます。

MacでWi-Fi接続してインターネットをしてみよう

① タスクバーにあるWi-Fiアイコンをクリック

デスクトップ右上にあるタスクバーにあるWi-Fiアイコンをクリックして、Wi-Fiをオンにします。

② 接続先ポイントをクリックする

既に設定してある接続先があれば、優先的に接続されます。そうでない場合は「ほかのネットワーク」を開いて接続したい接続先をクリックしましょう。

③ ログインパスワードを入力する

新たな接続先につなぐにはパスワードが必要です。ログインパスワードを正しく入力しましょう。パスワードを記憶させることもできます。

LANケーブルで接続して
インターネットを行う

　ルーターを介してネットワークに接続する場合は、LANケーブルをEthernetポートに挿入するだけで基本的によいのですが、プロバイダーへの接続でPPPoEを利用する場合は必要な「ネットワーク」画面で設定する必要があります。

1 システム環境設定の
ネットワークを開く

LANケーブルを接続したら、「システム環境設定」の「ネットワーク」を開きます。「Ethernet」が「接続済み」になっていればインターネットがそのままできます。

2 PPPoEサービスを
作成する

「PPPoEサービスの作成」を選択

直接プロバイダーに接続する場合は、「Ethernet」画面にある「IPv4の設定」のプルダウンメニューを開き、「PPPoEサービスの作成」を選択します。

3 サービス名を
入力する

自分でわかる名称を入力すればOK

サービス名入力画面が表示されます。特に決められたものを入力するわけではないので、LANケーブルやプロバイダー名を入力しておけばよいです。

4 プロバイダー情報を
入力する

利用しているプロバイダの接続パスワードを入力

新しくプロバイダ設定画面が追加されるので選択します。「PPPoEサービス名」にプロバイダ名、アカウント名にプロバイダの接続ID、パスワードに接続パスワードを入力して「接続」をクリックしましょう。

CHECK!!

DNSを
変更するには？

　DNSを変更するには「ネットワーク」画面右下にある「詳細」をクリックし、「DNS」タブを選択します。「DNSサーバ」下にある「+」をクリックし、接続したいDNSサーバのIPアドレスを入力して「OK」を入力しましょう。

！ここが
● ポイント

Wi-FiルータにMac
アドレスを登録している場合は

　無線LANルータにフィルタリングを設定している場合は、Macのアドレスを無線LANルータに登録しておく必要があります。「システム環境設定」から「ネットワーク」を開いて「Wi-Fi」を開き、「詳細」をクリックします。「Wi-Fi」タブを開くと「Wi-Fiアドレス」が表示されるので、このアドレスをメモしてルータに設定しましょう。

Wi-Fi MACアドレス: f0:18:98:98:7a:1c

---

④ Wi-Fi接続を
確認する

Wi-Fiの接続がうまくいけば、このようなWi-Fiアイコンになります。接続中の場合はアイコンがアニメーション的な動きをします。

⑤ 接続優先順位を指定する

複数のWi-Fiアクセスポイントを使っている場合、「システム環境設定」→「ネットワーク」→「Wi-Fi」と進み「詳細」をクリックします。

クリック

⑥ 優先するポイントを一番上にする

「Wi-Fi」タブを開くと接続しているネットワークが一覧表示されます。優先的に接続するアクセスポイントをドラッグで上に移動させましょう。

ドラッグして優先順位を並び替える

Macやアップル製品に登録する Apple IDとは

Apple製品を楽しむのに欠かせない個人アカウント

Apple IDはアップル製品やサービスを利用するのに欠かせない個人アカウントです。取得すればMac App Storeからアプリをダウンロードしたり、音楽や映画などのコンテンツがダウンロードできるようになります。

Apple IDは無料で誰でも作成できますが、iPhoneやiPadで利用するApple IDと共用するアカウントのため、すでに取得しているのであれば、新規作成する必要はありません。Apple IDは基本的に1人1アカウントになっていますので、現在利用しているアカウントがあればMacに登録しておきましょう。

また、iPhoneやiPadでApple IDを共用することでiCloudが利用できるようになり、写真、メール、連絡先、カレンダー、SafariのブックマークなどさまざまなデータをMacとiPhone/iPadで同期できるようになります。

セキュリティ面でもApple IDは重要な情報になります。MacBookやiPhoneが盗難されたときでも、iCloud経由でApple IDが登録されたデバイスを探す「探す」アプリを利用したり、同じApple IDで紐付けられた複数のデバイスで個人認証を行う「2ファクタ認証」で個人情報を保護することができます。

Apple IDを取得してできること

「サインイン」をクリックして作成画面に移る

Apple IDは「システム環境設定」から無料で作成できます。まだ取得していない人は、作成しておきましょう。

iCloudサービスが利用できる

iCloudを利用してほかのアップル製品と各種データを同期できるようになります。

セキュリティが強化

MacBookやアップルデバイスが盗難が盗難された場合は、「探す」アプリを利用してApple IDが登録されたデバイスを探すことができます。

Appleコンテンツが購入できる

Mac App Storeや各アプリからアプリ、音楽、映画などのコンテンツが購入できます。有料コンテンツの場合は別途クレジットカードやiTunesカードの登録が必要になります。

アプリのIDとして利用する

Apple IDは、そのままFaceTimeやメッセージなどApple製アプリのIDになることも多いです。アプリ用にIDを作成する必要がありません。

Apple IDを共有できるデバイスとは

Mac　iPad　iPhone　Apple Watch　Apple TV

Apple ID

Apple IDはMacのほかにiPhone、iPad、Apple Watch、Apple TVでも利用します。すべてのデバイスで同じApple IDを利用することでデータを同期・共有することができます。

iCloudで同期できる
データとは

iCloudはAppleのクラウドサービスです。MacをはじめあらゆるApple製品で利用でき、Apple IDを通じてiCloud上のデータを同期することができます。iPhoneで撮影した写真をMacで同期したり、逆にMac上にある写真をiPhoneで同期できるなど使いこなせばこの上なく便利になります。

iCloudのしくみ

iCloudを通じてApple IDで紐付けられているほかのデバイスと写真、連絡先、カレンダー、メールなどのデータを同期できます。

iPhoneで撮影した写真を
Macで閲覧する

iPhoneの「写真」に保存されている写真をiCloudを通じてインターネット経由でMacでダウンロードできます。Lightningケーブルを使ってデバイスを接続する手間が省けます。

パソコン上のファイルを
iPhone/iPadで閲覧する

iCloudの機能の1つ「iCloud Drive」を利用すればMac上にあるあらゆるファイルをiPhoneやiPadで閲覧できるようになります。

ブラウザ上から同期
データにアクセスもできる

iCloud上にあるデータの一部は「iCloud.com」にアクセスすることでブラウザからも利用できます。つまり、Windowsパソコンから写真やメールなど一部データを利用することが可能になります。

ここが
● ポイント

Apple IDのパスワードを
忘れてしまった場合は？

Apple IDを忘れてサービスが使えなくなった場合は、まずApple IDのサイトにアクセスして「Apple IDまたはパスワードをお忘れですか?」をクリックします。その後の手順に従って、初期設定で登録した自分の姓名やメールアドレスを入力すれば自分の利用しているApple IDを表示してくれます。パスワードを忘れた場合も同じ手順を踏みます。

Apple IDを取得しよう

① アプリ上から作成する

Apple IDはMacのさまざまなアプリで現れるApple IDログイン画面から作成できます。システム環境設定画面の「Apple ID」画面では「Apple IDを作成」をクリックします。

「Apple IDを作成」をクリック

② 名前とApple IDに利用するメールアドレスを入力する

Apple ID作成画面が起動します。名前とメールアドレス、パスワードを設定しましょう。設定するメールアドレスがそのままApple IDとなります。

③ Apple IDでiCloudにログイン

取得したApple IDと設定したパスワードでiCloudにログインしましょう。名前の下に表示されるメールアドレスがApple IDとなります。

これまで使っていたHDDはMacで使える?

基本的には差し込むだけで問題なく使えます

Windowsで利用していた周辺機器は、そのままMacでも利用することができます。キーボードやマウスなどは、もともとWindowsとMac両対応のものが多く、ほとんどがポートに接続するだけで使用できます。ただし、一部の周辺機器はMac専用のドライバが必要な場合がありますが、メーカーの公式サイトから多くは無料でダウンロードできます。

注意したいのは外付けハードディスクやUSBメモリなどです。ほとんどはそのままデータを読み書き可能ですが、ストレージのフォーマット形式がNTFSだった場合は、読み込みはできますが書き込みができません。MacでおすすめのフォーマットはHFS+ですが、もしWindowsと共用する場合は「MS-DOS(FAT)」がおすすめです。

ハードディスクのフォーマットの種類

	Mac	Windows	説明
APFS	読み△ El Capitan以前は読み込めない 書き△ El Capitan以前は書き込めない	読み×、書き×	HFS+の問題を解決することを目的とした新しい標準フォーマットシステム。High Sierra以降で利用できる。
HFS+ (Mac OS拡張フォーマット)	読み○、書き○	読み×、書き×	Macの標準フォーマットシステム。Macのみ利用できる。デフラグの必要性がない。
MS-DOS(FAT)	読み○、書き○	読み○、書き○	MacでもWindowsでも読み書き可能な汎用性の高いフォーマットシステム。
NTFS	読み○、書き×	読み○、書き○	Windows標準フォーマットシステム。Mac OS Xでは書込ができない。
exFAT	読み○、書き○	読み○、書き○	MacでもWindowsでも読み書き可能なフォーマット。ただしファイルへのアクセス権の設定ができない。

Macではすべてのハードディスクフォーマットの読み込みが原則的には可能です。しかし、NTFSフォーマットの場合は書き込みができません。

Macの新しいフォーマット形式「APFS」に注意しよう

Macの標準フォーマットはこれまでずっと「HFS+(Mac OS拡張フォーマット)」形式でしたが、2017年にリリースされたmacOS High Sierraから、新たに「APFS」というフォーマットが追加されています。HFS+を拡張したフォーマットで処理速度や暗号化能力が高いのが特徴です。ただし汎用性は低く、APFSでフォーマットされたUSBデバイスはWindowsだけでなく、El Capitan以前のMac OSでも読み込むことができません。

Macで外付けハードディスクをフォーマットする

① ディスクユーティリティを開く

外付けディスクをMacに接続したら、アプリケーションフォルダから「ユーティリティ」を開き「ディスクユーティリティ」を開きます。外付けディスクを選択しましょう。

外付けディスクを選択

② MacOS拡張でフォーマット

メニューから「消去」を選択します。フォーマット確認画面が表示されます。フォーマットで「Mac OS拡張(ジャーナリング)」を選択して「消去」でフォーマット開始です。

「Mac OS拡張(ジャーナリング)」を選択 / 「消去」をクリック

③ Windowsでも読み込める形式にするには

WindowsでもMacでも読み書き可能なフォーマットにする場合は「MS-DOS(FAT)」を指定してフォーマットにするのがおすすめです。

「MS-DOS(FAT)」を指定する

2章

Macの基本操作をマスターする

Mac BASIC GUIDE

Finderの使い方や文字入力、アプリの起動方法やインストール方法……その辺りの知識をこの章で一通り理解できれば、ある程度はMacを操作できるようになるでしょう。この章の記事は、Mac操作の核となるものが多いのでしっかりと理解しましょう。

Macで作成したデータを保存・管理するには?

デスクトップとFinderであらゆるデータを整理する

作成したファイルやダウンロードしたファイルは、デスクトップに保存すればあとですぐに開けて便利です。デスクトップ上に保存したファイルはドラッグ&ドロップで自由に場所を移動することができます。Windowsのデスクトップと操作感はほぼ同じです。右クリックメニューから壁紙の変更もできます。ただ、デスクトップばかりに保存しておくと、散らかって使いづらくもなります。デスクトップと並行して「Finder」を使いこなしましょう。

FinderはWindowsの「エクスプローラ」に相当するアプリで、ファイルの整理に欠かせないものです。「書類」「ダウンロード」などあらかじめさまざまなフォルダが用意されており、内容ごとにファイル分類できます。また、自分で新たにフォルダを作成することもできます。

ファイル整理は「デスクトップ」と「Finder」を使いこなしましょう

デスクトップに保存する

クリックするとファイルが開く

ファイルはドラッグで自由に場所を移動できる

Macのデスクトップにデータを保存すると、画面右上端から左下に向かってファイルが並んでいきます。すぐにアクセスできるため非常に便利です。

Finderに保存する

サイドバーにフォルダの種類が表示される

クリックしてFinderを起動する

FinderはDock一番左にあるFinderアイコンをクリックすると起動します。あらかじめいくつかフォルダが用意されていますが、自分で新たにフォルダを作成することもできます。

Finderを使ってファイルやフォルダを整理してみよう

1 Finderの各フォルダにはメニューバーの「移動」から

Finder内の各フォルダにアクセスするには、Finder内を直接進んでいくのもよいですが、デスクトップ上部にあるメニューバーの「移動」からアクセスもできます。

「移動」をクリックしてアクセスしたい場所を選択する

2 ダウンロードしたファイルは「ダウンロード」フォルダにある

初期設定ではウェブ上からダウンロードしたファイルはFinderの「ダウンロード」フォルダに保存されます。なおダウンロード先は保存先選択画面で自由に変更できます。

3 「ホーム」フォルダはFinderのトップページ

メニューバーの「移動」から「ホーム」を選択すると、「パブリック」「ピクチャ」「ミュージック」などさまざまな種類のフォルダが現れます。ここはFinderのトップページのようなものです。

データを保存する際は
名前やフォルダを設定する

　ウェブ上からデータを保存する場合は、保存先フォルダを選択しましょう。分かりやすいように名称を変更しておくのもよいでしょう。Macの各種アプリで作成した新規書類を閉じるときも同じく、保存先フォルダを指定するほかに、ファイルに名称を付けましょう。

1 ウェブ上のデータを
ダウンロードする

①プルダウンメニューを開く
②保存先フォルダを指定する

ウェブ上のコンテンツを保存する際には、保存ダイアログが現れます。標準は「ダウンロード」に設定されていますが、「場所」のプルダウンメニューから保存先を変更できます。

保存先フォルダの選択肢
を増やす

　保存ダイアログ画面でファイル名横にあるプルダウンメニューボタンをクリックすると、オプションメニューが表示されます。標準設定では指定できない階層の深いフォルダを指定できます。

2 Macアプリで作成した
データを保存する

ファイル名を入力する
保存先フォルダを指定する

アプリの新規書類作成画面で「閉じる」ボタンをクリックすると保存ダイアログが表示されます。名称が未設定のままなので、名称を入力した上で保存先フォルダを指定しましょう。

3 ドラッグ＆ドロップで
ファイルを移動する

サイドバーにドラッグ＆ドロップもできる
ドラッグ＆ドロップで移動する

ファイルを移動するにはファイルをドラッグ＆ドロップするだけです。デスクトップからFinderに移動したり、サイドバーの項目に移動することもできます。

4 Finderを複数起動して
ファイルを移動する

右クリックして「新規Finderウインドウ」を選択する

フォルダ間でファイルの移動を行う場合は、Finderを複数起動しましょう。DockのFinderアイコンを右クリックして「新規Finderウインドウ」で複数起動できます。

ここが ポイント

ほかのAppleデバイスと
ファイルを同期する

「デスクトップ」と「書類」フォルダは、iCloudを通じてほかのMacやiPhone、iPadなどのiOSデバイスと同期できます。「システム環境設定」から「Apple ID」を開きiCloud Driveのオプション画面で「"デスクトップ"フォルダと"書類"フォルダ」を有効にしましょう。デスクトップと書類内のファイルがiCloud Driveに表示され、ほかのデバイスと同期できます。

"デスクトップ"フォルダと"書類"フォルダにチェックを入れる

4 「書類」フォルダには
よく使うファイルを置く

ウインドウズの「ドキュメント」に相当するのが「書類」フォルダです。よく使うファイルや、まだ分類できないファイルはとりあえず「書類」に保存しておきましょう。

5 「パブリック」フォルダで
ファイルを共有する

LANネットワークを使ってほかのデバイスとファイルを共有する場合は「パブリック」フォルダに保存しましょう。「ホーム」フォルダからアクセスできます。

「ファイル共有」を有効にして
パブリックフォルダを使う

　初期設定ではファイル共有機能はオフになっています。アップルメニューから「システム環境設定」→「共有」と進み、「ファイル共有」にチェックを入れると、ほかのデバイスからネットワーク経由でパブリックフォルダにアクセスできるようになります。

便利な**Finder**をさらに使いこなす！

ウインドウ周辺の各種バーを使いこなそう

Finderを使いこなす上で重要となるのがサイドバーやツールバーなどウインドウの上下左右端に設置されている各種スペースです。これらのスペースの用途を把握しておきましょう。

重要となるのがウインドウ上部に固定表示された横長のツールバーです。ツールバーでは、表示しているフォルダ内のファイルを効率よく閲覧したり、探すための機能が用意されており、ボタンをクリックして操作できます。なお、ツールバーに表示する項目やボタンの位置は自由にカスタマイズすることができます。

Finderの構造を理解しよう

ツールバー
ボタン1つでFinderの各種機能を実行できます。ツールバーに表示する項目はカスタマイズできます。

ファイル表示形式の選択
「カラム」「ギャラリー」など、さまざまなファイルの表示形式を選択できます（下段参照）。

タブバー
複数のフォルダをタブで切り替えて表示できます。タブの並び順は入れ替えることができます。

パスバー
開いているフォルダがMac内のどの階層下にあるかを表示してくれます。

標準設定ではステータスバーやパスバーなどは非表示になっています。メニューバーの「表示」から表示・非表示設定ができます。

サイドバー
よく使うファイルやフォルダを登録することで素早くアクセスできます。またカラータグを付けた項目の管理もできます。

ステータスバー
開いているフォルダの容量を表示したり、アイコンの大きさを変更できます。

ツールバーを使ってスムーズにファイルを鑑賞する

① アイコン表示で素早くファイルを探す

一番左にあるアイコン表示ボタンをクリックすると、フォルダ内のファイルをサムネイル形式にして表示することができます。写真を探すときに活用すると便利です。

CHECK!!

アイコンサイズを大きくして探しやすくする

アイコンが小さくて内容が分かりづらい場合はアイコンの大きさを変更しましょう。ステータスバーを表示させ、右端にあるスライダーを左右に動かすとアイコンのサイズを変更できます。

② リスト表示でファイル情報を一覧表示する

リスト表示ではファイル名だけでなく、ファイルの種類、最後に開いた日などさまざまなファイル情報を一覧表示できます。また変更日やサイズで並び替えることができます。

サイドバーに表示する項目を
カスタマイズしよう

　サイドバーに表示されている項目は自由にカスタマイズできます。メニューバーの「環境設定」から表示項目を変更しましょう。なお「よく使う項目」では、サイドバーの表示設定に用意されていないフォルダを登録することもできます。

1 「Finder」から 「環境設定」を選択する

「Finder」から「環境設定」を選択する

Finderを起動した状態か、もしくはデスクトップのどこかをクリックし、メニューバーの「Finder」をクリックして、「環境設定」を選択しましょう。

2 サイドバーに表示する 項目を選択する

サイドバーに表示する項目にチェックを入れる

環境設定画面で「サイドバー」をクリック。「サイドバーに表示する項目」一覧で表示させたい項目にチェックを入れましょう。逆にオフにするとその項目は消えます。

3 よく使う項目に任意の フォルダを登録する

ドラッグ&ドロップで登録する

サイドバーの「よく使う項目」には、ドラッグ&ドロップで任意のフォルダを登録できます。フォルダだけでなくファイルを登録することもできます。

4 右クリックでサイドバーから 項目を削除する

「サイドバーから削除」を選択する

サイドバーから削除したい項目は、右クリックして表示されるメニューで「サイドバーから削除」を選択しましょう。

CHECK!!

Finder起動時にお気に入りの フォルダを開くようにする

　Finderを起動したときによく使うフォルダを毎回表示させたい場合は、メニューバーの「Finder」から「環境設定」→「一般」と進み、「新規Finderウインドウで次を表示」でフォルダを指定しましょう。

ここが ポイント

クイックアクションで 素早くファイルを編集する

　ギャラリー表示の際、右のプレビュー画面下にある「クイックアクション」ボタンをクリックすると、選択中のファイルを素早く編集できます。写真選択時は「回転」と「マークアップ」の2つのボタンが表示され、「回転」ボタンをクリックすると写真の傾きを調整でき、また「マークアップ」をクリックすればテキスト、シェイプ、署名などを入力することができます。

CHECK!!

リスト表示で表示する 情報をカスタマイズする

リスト表示画面で表示する情報はカスタマイズできます。リスト表示画面の表示項目欄上で右クリックし、表示させたい情報にチェックを入れましょう。

3

カラム表示で特定のファイル 情報を詳細表示

カラム表示にすると複数の階層を一覧表示できます。階層の奥深い場所にあるファイルに素早くアクセスできます。またフォルダ間の「戻る」「進む」といった動作をする必要がなくなります。

4

ギャラリー表示にして ファイル内容を大きく表示する

表示ボタンから右端の「ギャラリー表示」を選択すると、フォルダ内のファイルが横にサムネイル表示されます。ファイルを選択すると、内容を大きくプレビュー表示してくれます。

Macの基本操作をマスターする

ウインドウサイズを変更して使いやすくする

Finderのウインドウは端をつまんでドラッグすることで自由に好きな大きさに調整できますが、ワンクリック操作でフルスクリーンにしたり、最小化してDockに収納することもできます。ウインドウ左上にある緑ボタンにマウスカーソルをあてるとさまざまなメニューが表示されます。

1 緑ボタンを使ってフルスクリーン化する

クリック

「フルスクリーンを解除」を選択

ウインドウを画面全体に広げたい場合は、左上にある緑のボタンにカーソルをあて、表示されるメニューから「フルスクリーンにする」を選択。画面全体にウインドウが広がります。

2 緑ボタン上でoptionキーを押す

「拡大/縮小」を選択

マウスカーソルを緑のボタンに近づけてoptionキーをクリックすると、メニューが変化します。「拡大/縮小」を選択すると無駄のないウインドウ幅に自動調整してくれます。

3 黄色ボタンでDockに収納する

ウインドウを一時的にデスクトップから非表示にしたい場合は黄色のボタンをクリックします。するとDockにウインドウが収納されます。

4 ウインドウのタイトルバーをダブルクリックする

タイトルバーをダブルクリック

なおウインドウのタイトルバーをダブルクリックすると、標準設定ではウインドウを最適な大きさにしてくれます。

CHECK!!

フルスクリーンのままウインドウを切り替えるには

ほかのフルスクリーンウインドウに切り替える場合はF3キーを押しましょう。切り替えウインドウが現れ、ほかのフルスクリーン状態になっているウインドウに切り替えることができます。トラックパッド上で4本指（3本指）を上下に動かして切り替えることもできます。

ここがポイント

Macのテーマを変更する

macOSでは「ライトモード」と「ダークモード」の2つのテーマが用意されています。ライトモードは、白を基調とした明るい画面表示です。ダークモードは黒を基調とした暗い画面表示で目の疲労を和らげる効果があります。テーマの変更は「システム環境設定」の「一般」から行えます。

クリックするとテーマが変わる

スタックでデスクトップ上のファイルを整理する

❶ 右クリックメニューからスタックを使用する

「スタッフ」という機能でデスクトップのファイルを整理できます。スタックを有効にするには、デスクトップ上で右クリックして「スタックを使用」をクリックします。

「スタックを使用」を選択する

❷ ファイル別に自動的に整理される

デスクトップ上に散らばっていたファイルが、自動的にファイル形式ごとにまとめられ、デスクトップ右端に設置されます。フォルダはスタック内に収納できません。

ファイル形式ごとに整理される

❸ 指定したスタックを展開する

スタックをクリックすると、スタック内に収納されたファイルが、デスクトップに一覧表示されます。もう一度クリックすると展開されたファイルが収納されます。

スタックをクリックするとファイルが展開される

フォルダ分類と整頓機能で
散らかったファイルを整理する

ファイルの数が増えてきたら、Finderで整理しましょう。まず、新規フォルダを作成して内容ごとにファイルを分類しましょう。デスクトップ上に散乱しているファイルを整理整頓したい場合は「整頓順序」から好きな整頓メニューを選んで整理しましょう。

1 新規フォルダを作成してみよう

「新規フォルダ」をクリック

新規フォルダを作成するには、メニューバーの「ファイル」から「新規フォルダ」をクリックします。右クリックメニューの「新規フォルダ」からでも作成できます。

2 新規フォルダの名称を変更する

「名前を変更」をクリック

新規フォルダが作成されます。標準では名称が未設定になっているので、フォルダ上で右クリックして「名前を変更」から好きな名前に変更しましょう。

3 Finderの整頓機能を使ってみよう

右クリックから「整頓順序」で順序を選択

アイコンが散らばったときは整頓機能を使いましょう。右クリックして「整頓順序」から整理したい整理基準を選択しましょう。

4 アイコンが自動で整理整頓する

散らばっていたアイコンが指定した順序できれいに整頓されました。整頓後に表示順序を変更する場合も同じように右クリックメニューの「整頓順序」から行いましょう。

CHECK!!

「return」キーで
名称を素早く変更する

フォルダやファイルの名称変更をする際、毎回右クリックメニューから「名称を変更」するのは面倒です。素早く名称を変更するならファイルを選択後「return」キーを押しましょう。名前だけが選択された状態になり編集可能になります。

● 整頓順序……Finderの状態によっては、「並び順序」としか表示されない場合もあります。

! ここが ● ポイント

ファイルにタグを付けて
分類する

スタックではファイルに付けたタグごとにグループ分類することもできます。タグごとにグループ分類したい場合は、デスクトップ上で右クリックして「スタックのグループ分け」から「タグ」にチェックを入れましょう。標準ではレッドやブルーなどのカラータグが用意されていますが、自分で好きなタグ名を作ることもできます。

「タグ」にチェックを入れる

4 スタックからフォルダを作成する

スタックに収納された全ファイルを選択した状態で、新規フォルダの作成もできます。スタックを右クリックして「選択項目から新規フォルダ」を選択します。

「選択項目から新規フォルダ」を選択する

5 グループ分類の方法を変更する

標準ではファイルの種類によってグループ分類されますが、デスクトップ上での右クリックメニューの「スタックのグループ分け」から分類方法を変更することもできます。

「スタックのグループ分け」を選択する

6 ファイルをまとめて編集する

スタックにまとめたファイルは右クリックからまとめて名前を変更したり、クイックルックでプレビュー表示させることができます。

右クリックからコマンドを選択する

Mac独自のキーボードや
文字入力アプリを覚えよう

Mac独自のキーボード規格を覚えておこう

Macで初めてパソコンに触れる人なら問題ないのですが、Windowsを使っていた人がMacに乗り換えて戸惑いを覚えるのがキーボード操作です。Mac購入時に付属しているキーボードを使ってみるとWindowsのときとファンクションキーの機能が違っていたり、「command」キーや「option」キーなどWindowsにはなかったキーがたくさん出てきます。またファンクションキーを押すとWindowsとは全く異なる操作になってしまいます。Macでは入力アプリとして「日本語IM」が標準搭載されていますが、これもWindowsの「MS-IME」とはかなり使用感が違います。あらかじめWindowsのキー操作に対応するMacのキー操作を覚えておきましょう。

Macのキーボードで絶対に覚えておきたいキーをチェック!

「control」キー
おもにショートカットキーとして利用します。Windowsの「ctrl」キーとは異なるので注意しましょう。

「shift」キー
最新のMagic Keyboardでは「↑」しか記載されていませんが「shift」キーに相当します。位置も名前もWindowsのキーと同じです。

「return」キー
Windowsの「enter」キーに相当するキーです。文字入力決定に利用します。

「delete」キー
Windowsの「backspace」キーに相当するキーです。押すとカーソル左の文字を削除できます。

「option」キー
Windowsの「alt」キーに相当するキーで、おもにショートカットキーとして複数のキーと組み合わせて利用します。

英数キー

かなキー

「command」キー
コピーやペーストなど最もよく使用するショートカットーキーです。Windowsの「ctrl」キーに相当します。

入力中の文字種類の変換は「control」キーを使う

①

入力中の文字をひらがな変換する

Mac標準の入力アプリでは「control」と「j」で入力文字を簡単にひらがなに変換できます。Windowsのファンクションキーでは「F6」に相当します。

②

入力中の文字を全角カタカナ変換する

Mac標準の入力アプリでは「control」と「k」で入力文字を簡単に全角カタカナに変換できます。Windowsのファンクションキーでは「F7」キーに相当します。

③

入力中の文字を半角英数に変換する

Mac標準の入力アプリでは「control」と「:」で入力文字を簡単に半角英数に変換できます。Windowsのファンクションキーでは「F8」キーに相当します。

control   j

control   k

control   :

Mac標準の入力アプリを Windows風に変更する

　Mac標準で搭載されている入力アプリ「日本語IM」は、文字入力と同時に候補文字に自動で変換される「ライブ変換」が適用されますが、これが使いづらいユーザーも多いでしょう。ほかにもWindows時代とは勝手が異なるキー操作が多々あります。Windows風の文字入力設定に戻すようカスタマイズしてみましょう。

1 システム環境設定から 「キーボード」を選択する

メニューバーのAppleアイコンをクリックし、「システム環境設定」をクリックします。表示された画面から「キーボード」をクリックします。

2 Shiftキーの動作を 英字モードにする

「入力ソース」タブを開きます。「Shiftキーの動作」を「英字モードに入る」にチェックを入れると、日本語入力モード時にShiftキーを押しながら入力すると「英字」モードになります。

3 Windows風のキー操作 にチェックを入れる

「Windows風のキー操作」にチェックを入れると、文字を入力したあとに「delete」キーを押した場合のWindowsのように文字入力を再度変換できるようになります。

4 ライブ変換を 停止する

「ライブ変換」のチェックを外すと、文字入力時に入力候補に合わせて自動的に文字変換する機能がオフになります。

CHECK!!

「capslock」キーを 「command」キーとして使う

「システム環境設定」の「キーボード」画面にある「修飾キー」で「capslock」キーを「command」キーとして利用できるように設定をすることもできます。

！ ここが ● ポイント

ファンクションキーを使って 文字変換するには？

　Macの標準設定では「F7」や「F8」といったファンクションキーを押すと、iTunesコントロールやボリューム変更など特殊機能が働いてしまいます。Windowsのように文字変換のファンクションキーに戻したい場合は、「システム環境設定」から「キーボード」を開き、「F1、F2などのキーを標準のファンクションキーとして使用」にチェックを入れましょう。

4 入力中の文字を 全角英数に変換する

Mac標準の入力アプリでは「control」と「L」で入力文字を簡単に全角英数に変換できます。Windowsのファンクションキーでは「F9」キーに相当します。

control　　　**L**

5 入力中の文字を 確定する

Mac標準の入力アプリでは「control」と「m」で入力文字を確定します。

control　　　**m**

CHECK!!

「英数」キーと「かな」キーで 英語入力と日本語入力を切り替える

　日本語入力と英語入力を切り替えるには、標準JISキーボードを利用している場合はスペースキーの両側にある「英数」キーと「かな」キーを利用します。「英数」キーを押すと英語入力になり、「かな」キーを押すと日本語入力になります。

「スペースキー」いらずの ライブ変換を使いこなそう

Macのライブ変換入力は、慣れればほかの入力アプリよりも格段に入力が楽になります。ライブ変換を使いこなすポイントは「スペース」キーを打つ癖をなくすことです。誤変換があったときでも、文脈に合わせてあとで自動的に修正もしてくれるので、とにかく変換操作をせず打ち続ける姿勢が重要です。

1 スペースキーを使わず ひたすら打ち続ける

ライブ変換で「スペース」キーを使わず、打ち込む癖を身につけましょう。入力時に誤変換があってもそのまま打ち続けると文脈に合わせて自動修正してくれます。

2 誤変換の時は スペースキーを使おう

人名の入力や珍しいお店の名前の入力ではうまく行かないケースもあります。そんなときはこれまで通りスペースキーを使って変換候補を指定しましょう。

3 文節の移動は 矢印キーを使おう

再変換したい文節が異なる場合は「←」「→」キーを使って文節を移動しましょう。また「shift」キーを押しながら移動すると、文節の区切りを変更することができます。

4 ライブ変換を一時的に オフにする

ライブ変換を一時的にオフにしたい場合は、メニューバーの文字入力アイコンをクリックして「ライブ変換」のチェックを外せばよいでしょう。

CHECK!!

ライブ変換でピリオドを 簡単に入力するには

ライブ変換機能は便利ですが、弱点としてピリオド入力がうまくいかないことがあり、数字の後にピリオドを打とうとすると句点が入力されてしまいます。ピリオドをうまく入力したい場合は「option」キーを押しながら句点キーを押しましょう。

!ここが ●ポイント

Mac初心者の場合、ショートカットキーの記号がどのキーを指しているのかわからないため、いまいち使いこなせないことがあります。Macでよく利用するショートカットキー記号をおさらいしましょう。

ショートカットの記号を 覚えよう

⌘ 「command」キー　⌥ 「option」キー　∧ 「control」キー　⇧ 「shift」キー

ダイアログの選択ボタンを「tab」キーで切り替える

ダイアログ（選択画面）に表示される「OK」や「キャンセル」などの選択ボタンを選ぶ際、毎回マウスカーソルを移動してクリックするのは面倒です。標準では「tab」キーを押してもリストとテキストボックス間しか移動できません。そこでフルキーボードアクセスを有効にしましょう。有効にして「tab」キーを押すとウインドウやダイアログ内の選択ボタンを「tab」キーで移動できるようになります。

① 「すべてのコントロール」 にチェックを入れる

「システム環境設定」から「キーボード」→「ショートカット」と進み、「コントロール間のフォーカス移動をキーボードで操作」にチェックを入れます。

② 「tab」キーで 選択ボタンを切り替える

ダイアログ画面で「tab」キーをクリックしてみましょう。するとプルダウンメニュー項目や選択ボタン画面を移動できるようになります。覚えておくと非常に楽になります。

使いこなしたい上級テク！
入力アプリの便利ショートカット

Mac標準の入力アプリ「日本語IM」には、Mac独自のキーボードに対応したさまざまなショートカットが用意されています。変換候補画面でのカーソル移動や変換対象文節の変更などのショートカットは、覚えておくと入力操作がスムーズになります。

1 変化候補画面で カーソルを移動する

「control」＋「N」で下、「control」＋「p」で上

変換候補画面カーソルを上下に移動するには矢印キーのほかに「control」＋「N」で下へ移動、「control」＋「p」で上へ移動といった方法があります。

2 変化候補画面で 文節を変更する

「control」＋「b」で左、「control」＋「f」で右

複数の文節からなる文章を入力したときは、矢印キーのほか「control」＋「b」で文節を左へ移動、「control」＋「f」で文節を右へ移動できます。

3 ひらがなとカタカナに 文字種を変更する

「control」＋「j」でひらがな変換、
「control」＋「k」でカタカナ変換

文章入力中に指定した文節の文字種をひらがなに変換したい場合は「control」＋「j」を押します。カタカナに変換にしたい場合は「control」＋「k」を押します。

4 全角英字と半角英字に 文字種を変更する

「control」＋「L」で全角英字に変換、
「control」＋「;」で半角英字に変換

文章入力中に指定した文節の文字種を全角英字に変換したい場合は「control」＋「L」を押します。半角英字に変換にしたい場合は「control」＋「;（セミコロン）」を押します。

CHECK!!

**1つ前の入力ソースに
戻るショートカット操作**

標準IMと他社製の入力アプリ併用している場合、切り替えるのに毎回タスクバーから入力ソースを選び直すのは面倒です。「control」キー＋「スペース」キーで、1つ前に使っていた入力ソースに素早く切り替えることができます。

！ ここが ● ポイント

入力方法が分からない 絵文字や記号を入力するには

読み方が分からず入力ができない文字がある場合は「絵文字と記号」パネルを使いましょう。起動すると入力方法の難しい文字が一覧表示され、ここから入力したい文字を探してクリックすると入力できます。利用するには「システム環境設定」から「キーボード」画面を開き「キーボード」タブで、「メニューバーにキーボード〜」にチェックを入れましょう。

タスクバーから「絵文字と記号を表示」で利用できる

メニューバーやDockをショートカットだけで操作する

メニューバーやDockなどもキーボードのショートカットで操作できます。操作するには事前に「システム環境設定」の「キーボード」から「キーボード」タブを開き、「F1、F2などのキーを標準のファンクションキーとして使用」にチェックを入れておきましょう。

1 ショートカットキーで メニューバーを操作する

メニューバーをショートカットキーで操作するには「control」＋「F2」をクリックします。メニューバーが選択状態になり、矢印キーでメニューが開けます。

「control」＋「F2」をクリック

2 ショートカットキーで Dockを操作する

Dockを操作するには「control」＋「F3」をクリックします。Dockが選択状態になります。左右矢印キーでアプリを選択し、上矢印キーでメニューを開けます。

多機能で入力変換がスムーズな Google日本語入力を導入しよう

豊富なデータベースで適切な入力候補を表示する

Macで利用できる入力アプリはほかに無料で利用できる「Google日本語入力」があります。Google日本語入力の最大の特徴は、ネット検索で培われた豊富なデータベース機能です。珍しい人名や地名、難しい専門用語から、流行の顔文字やお店の名前まで、適切な入力候補を表示してくれスムーズに入力ができます。また、よく使うフレーズはGoogle日本語入力が覚えてくれ、最初の数文字を打てば自動補完されます。Mac標準の入力アプリとの切り替えも簡単なので、インストールしておいて損することはないでしょう。

APP
Google日本語入力
作者／Google
価格／無料
URL／https://www.google.co.jp/ime/

Google日本語入力はここがすごい

確実な入力候補を表示

お店の名前や最近話題になった人物名など、特に固有名詞を入力するときにGoogleのネットのデータベースを活かした豊富な語彙は役立ちます。

よく使うフレーズを覚える

挨拶文章など何度も使うようなフレーズはGoogleが記憶して、最初の数文字を打てば自動的に補完してくれます。

Google日本語入力をインストールして使ってみよう

① 公式サイトからダウンロードする

Google日本語入力は、Mac App StoreではなくGoogle日本語入力の公式サイトからプログラムをダウンロードする必要があります。サイトにアクセスしたら「ダウンロード」からダウンロードします。

「ダウンロード」をクリック

② アプリケーションをインストール

ダウンロードしたプログラムをクリックするとインストールプログラムが起動します。「続ける」をクリックして進めていけばインストール完了です。

③ タスクバーから入力アプリを切り替える

インストール後、Google日本語入力アプリを利用するには、タスクバーにある入力アイコンをクリックしてGoogle日本語入力を選択します。

●「開発元が不明なため〜」と警告が表示される場合は41ページを参照してください。

Windowsの辞書ツールを Macに移行する

Windowsの日本語入力アプリ「MS-IME」で登録していた辞書ツールは、Mac標準の「日本語IM」にインポートすることはできませんが、Google日本語入力アプリであればインポートすることができます。非常に便利なのでインポート手順はぜひ知っておきましょう。

1 Windowsの辞書ツールを起動する

「ユーザー辞書ツール」をクリック

まずWindows側でタスクバーにあるIMEアイコンをクリックして、「ユーザー辞書ツール」をクリックします。

2 「ツール」から「一覧の出力」を選択する

「一覧の出力」を選択する

ユーザー辞書ツールが起動したら、メニューの「ツール」から「一覧の出力」を選択します。

3 テキスト形式で保存する

チェックを外す

テキスト形式を指定する

ファイルの保存画面が表示されます。「ファイルの種類」をテキスト形式に指定し、「Unicodeで出力」のチェックを外して保存します。

4 MacのGoogle日本語入力辞書ツールを起動する

「新規辞書にインポート」を選択する

Mac側へ書き出したデータを移し、タスクバーの入力アイコンから「辞書ツール」を選択します。「管理」から「新規辞書にインポート」を選択します。

5 出力した辞書データをインポートする

「Microsoft IME」を指定する

「Shift JIS」を指定する

出力したデータを「ファイルを選択」で登録し、辞書名を入力。フォーマットを「Microsoft IME」、エンコード「Shift JIS」に指定して「インポート」をクリックしましょう。

ここが ● ポイント

Mac標準の入力アプリを表示させないようにする

Google日本語入力だけしか使わないのであれば、Mac標準の「日本語IM」をオフにしましょう。「システム環境設定」の「キーボード」の「入力ソース」を開くと、利用できる入力アプリが一覧表示されます。この画面で不要な入力アプリを選択して「ー」ボタンをクリックすることでオフにすることができます。

不要な項目を選択して「ー」をクリック

---

4 ユーザー辞書を利用する

よく使う文字はユーザー辞書に登録しましょう。タスクバーから「辞書ツール」をタップします。「追加」をクリックして「よみ」に入力文字を「単語」に変換文字を登録しましょう。

5 入力しづらい記号を文字パレットから入力

入力方法の分からない記号はタスクバーのアイコンをクリックして「キーボードビューアを表示」を選択すると表示されるパレットで対象の記号をクリック。クリップボードにコピーできます。

CHECK!!

Google日本語入力をアンインストールするには

Google日本語入力をアンインストールする際は、アプリケーションフォルダの「Google日本語入力」フォルダ内にある専用のアンインストーラーを利用しましょう。ゴミ箱にドラッグ&ドロップするだけではうまく削除できません。

アプリの起動や終了方法を知ろう

アプリを起動する方法はさまざま!

Macに搭載されているアプリを起動する方法で一般的なのはFinderの「アプリケーション」フォルダからアプリを開く方法ですが、ほかにもデスクトップ下部に配置されているランチャー「Dock」から起動したり、インストールしているアプリケーションをデスクトップ画面に一覧表示する「Launchpad」から起動することもできます。また、エイリアス (Windowsのショートカットのようなもの) を作成すれば、自分の好きな場所からアプリ起動することもできるようになります。

Macでアプリを起動するには

アプリケーションフォルダから起動する

アプリケーションフォルダはアプリを起動するだけでなく、ゴミ箱にドラッグ&ドロップしてアンインストールしたり、エイリアスを作成することもできます。

Launchpadから起動する

Launchpadを起動するとデスクトップ全体にインストールしているアプリが一覧表示され、アイコンをクリックすると起動できます。左右にマウスをドラッグしてスクリーンを切り替えることができます。

作成したエイリアスから起動する

エイリアスを作成しておけばデスクトップや好きなフォルダから起動できるようになります。

Dockから起動する

デスクトップ下部に配置されているのがDockです。標準でいくつかアプリが配置されています。Dockに表示するアプリは自由にカスタマイズできます。また、Dockの位置は左右に移動させたり、縦表示にすることもできます。

さまざまな場所からアプリケーションを起動してみよう

1 アプリケーションフォルダから起動する

Finderのサイドバーにある「アプリケーション」やメニューバーの「移動」から「アプリケーション」を選択することでアプリケーションフォルダにアクセスできます。

2 アプリケーションフォルダからエイリアスを作成

アイコンを右クリックして「エイリアスを作成」もしくは、デスクトップにドラッグ&ドロップするとエイリアスが作成されます。エイリアスからアプリを起動することもできます。

3 アプリケーションをDockに登録する

Dockには自分で好きなアプリやファイルを登録することができます。アプリケーションフォルダから登録したいアプリをドラッグ&ドロップするだけです。

アプリケーションの起動と終了を知っておこう

ウインドウ左上の赤いボタンをクリックしただけではウインドウがデスクトップから消えただけでアプリは終了していません。アプリを完全に終了させるにはメニューバーから「終了」を選択するか、Dock上のアイコンを右クリックして「終了」を選択しましょう。

1 アイコンの下のランプで起動中のアプリを確認

起動中のアプリはDockのアイコンの下に黒いランプが点灯しています。アプリが終了しているかどうか確認するにはここをチェックしましょう。

2 メニューバーからアプリを終了する

「Safari」から「Safariを終了」を選択する

アプリを完全に終了するには、Safariの場合アプリをアクティブにしてメニューバーの「Safari」から「Safariを終了」を選択します。ショートカットキーで終了もできます。

3 Dockからアプリを終了させる

アイコンを右クリックして「終了」を選択する

Dockに登録しているアプリの場合は、Dock上のアイコンを右クリックして「終了」を選択して終了させることもできます。

4 タスクバーに常駐しているアプリを終了するには

メニューから「終了」を選択する

アプリの中にはタスクバーに常駐して起動するアプリもあります。多くのアプリはアイコンをクリックして表示されるメニュー内の「終了」を選択すれば終了できます。

CHECK!!

フリーズしたアプリを強制終了させる

フリーズ（操作を受け付けない状態）などが発生してアプリがうまく終了できない場合は、アップルメニューを開き「強制終了」を選択しましょう。「option」＋「command」＋「esc」キーでも終了できます。

ここが ● ポイント

Dockを非表示にしてデスクトップを広く利用する

ノート型Macはデスクトップが狭いため、ユーザーによってはDockが邪魔に感じることがあります。そこでDockを使わないときは非表示設定にしましょう。「システム環境設定」から「Dockとメニューバー」を開き、「Dockを自動的に表示／非表示」にチェックを入れると、Dockが隠れ、マウスカーソルをデスクトップ下部に近づけたときだけ自動的に表示されるようになります。

「Dockを自動的に表示／非表示」にチェックを入れる

---

4 Dockからアプリケーションを削除する

逆にあまり利用しないアプリはDockから削除することもできます。Dockの外に向かってアイコンをドラッグし「削除」という文字が出たらドロップすると削除されます。

Dockからアプリをドラッグし「削除」が出たらドロップ

5 Lanchpadからアプリを起動する

Dock左から2番目のLauchpadアイコンをクリックするとLauchpadが起動し、インストールしているアプリが一覧表示されます。Windowsのスタートメニューとよく似ています。

クリック

CHECK!!

Siriを使って音声入力で起動する

Macには音声入力アプリSiriが標準搭載されており、音声入力でアプリを起動することもできます。Siriを利用するには「システム環境設定」から「Siri」を開き、「メニューバーにSiriを表示」を有効にしましょう。メニューバーから利用できます。

Macのアプリケーションをインストールしよう

App Storeからアプリをダウンロードしよう

Macには標準で搭載されている以外にも便利なアプリケーションがたくさん配信されています。アプリケーションをダウンロードするにはMac App Storeを利用しましょう。Mac App Storeではカテゴリ別にアプリを探したり、キーワードを使って目的のアプリを探すことができます。Mac App StoreはDock上のアイコンをクリックして起動しましょう。

なお、アプリケーションをダウンロードするにはApple IDでログインする必要があります。すでにiPhoneやiPadなどでApple IDを取得しているなら、そのApple IDでログインしましょう。

Mac App Storeを起動してみよう

Dockから起動する

DockにあるMac App Storeのアイコンをクリックします。

検索ウインドウ
ソフト名を入力して検索できます。

見つける
Appleがおすすめするアプリや有料アプリ、無料アプリのダウンロードランキングが表示されます。

創作する
写真編集やグラフィック作成など創作関連のおすすめアプリが表示されます。

仕事する
タスク管理やメモアプリ、ノートアプリなど効率的に仕事を行うのに便利なおすすめアプリが表示されます。

楽しむ
Mac上で遊べるおすすめのゲームが表示されます。

アップデート
Macにインストールされているアプリでアップデートされたアプリが通知してくれます。

開発する
ウェブ作成やコード作成など開発者やエンジニアにとって便利なアプリが表示されます。

アカウント名
過去に購入したアプリが一覧表示され、アプリをダウンロードできます。また、Apple ID取得時に設定して個人情報を確認できます。

カテゴリ
Mac App Storeで配布されているあらゆるアプリが20種類以上のカテゴリに分類されて表示されます。

Mac App Storeでアプリをダウンロードしよう

① アプリをダウンロードする

ダウンロードしたいアプリのページを開いたら、「入手」ボタンをクリックします。有料アプリの場合は価格が表示されます。

② 利用しているApple IDをMac App Storeに入力する

Apple IDの入力画面が表示されます。利用しているApple IDを入力しましょう。ない場合は「Apple IDを作成」から新規にIDを作成しましょう。

③ Launchpadからインストールしたアプリを起動する

インストールしたアプリはLaunchpadにアイコンが追加されます。アプリケーションフォルダから起動することもできます。

ウェブ上で配布されている
Macアプリをダウンロードする

MacではMac App Store以外の場所で配布されているアプリもダウンロードしてインストールすることができますが、標準設定ではゲートキーパーというセキュリティ機能が働き、起動ができないようになっています。ゲートキーパーを一時的に無効にしてインストールする方法を知っておきましょう。

1 外部からダウンロードした アプリが開けない

ウェブ上からダウンロードしたアプリをインストールして、起動しようとすると「確認できないため開けません」というダイアログが表示されます。

2 「セキュリティとプライバシー」 画面にアクセスする

アップルメニューから「システム環境設定」を開き「セキュリティとプライバシー」をクリックします。

3 「このまま開く」 をクリック

「一般」タブを開き、「○○は開発元を確認できないため、使用がブロックされました。」横にある「このまま開く」をクリックします。

CHECK!!

常にアプリケーションを 開けるようにする

ダウンロードしたアプリを常に開けるようにするには、「ダウンロードしたアプリケーションの実行許可」で「App Storeと確認済みの開発元から〜」にチェックを入れ替えましょう。

4 確認ダイアログで 「開く」をクリック

アプリケーションを実行してよいかどうかの確認ダイアログが表示されるので「開く」をクリックしましょう。これでアプリケーションを実行できます。

ここが ● ポイント

アプリを アンインストールする

Macにインストールしたアプリをアンインストールするには、Launchpadを開いて対象アプリ上で長押しします。「×」マークが表示されるのでクリックするとアンインストールが始まります。「×」マークが表示されない場合は、アプリケーションフォルダを開いて対象アプリをゴミ箱にドラッグし、ゴミ箱を空にするとよいでしょう。

「ごみ箱」にアプリを ドラッグ&ドロップ

4

「購入済み」から アプリをダウンロードする

App Store左下のプロフィールアイコンを開くと過去にダウンロードしたアプリが一覧表示されます。クリックすると無料で再ダウンロードできます。

②ダウンロードする

①プロフィールアイコンをクリック

5

「アップデート」から アプリを最新版にする

アプリにアップデートがあると、Mac App Storeの「アップデート」で通知されます。アプリだけでなくmacOSのアップデートもここで通知されます。

CHECK!!

ソフトの自動アップデート を中止する

アップデータが自動ダウンロードされた際に表示される「インストールしますか?」という通知が煩わしい場合は、メニューバーの「App Store」の「環境設定」画面で自動ダウンロード設定をオフにすることができます。

効率よく情報を探すには SiriやSpotlightを使いこなそう

疑問に思ったことは Siriに話しかけてみよう

Macには、音声アシスタントのSiriが搭載されています。SiriはMacに向かって話しかけるだけでパソコンの操作ができる機能です。Siriでできることは多様ですが、わからないことや調べたいことがあるときなどに利用するのがベストです。

たとえば「今日の天気は?」と話しかけると現在地情報から天気予報を知らせてくれます。また「今日のメールは?」と尋ねると今日届いたメールを探して表示してくれます。疑問があったことはなんでも話しかけてみましょう。「何ができますか?」と話しかければ、Siriで操作可能なコマンドと尋ね方をアプリ別に分類して一覧表示してくれます。

Siriを有効にするには、「システム環境設定」の「Siri」で「"Siriに頼む"〜」にチェックを入れておく必要があります。

Siriを使ってみよう

Launchpadやタスクバーから起動する

Siriを利用するにはLaunchpadにあるSiriアイコンをクリックしましょう。もしくはタスクバー右から2番目にあるSiriアイコンをクリックします。

Siriに話しかける

黒いウインドウのSiriが起動したら、Macに何か質問したいことを話しかけてみましょう。ここでは「今日の天気は?」と話しかけてみました。するとSiriが質問した内容に対して回答してくれます。

知っておくと便利なSiriの便利な使い方

 ①

周囲の店を探す

現在地の近くにある店を探したい場合は「○○を探して」と話しかけると、近くの店舗をリスト表示してくれます。クリックするとその店への経路や店舗情報を表示してくれます。

②

通貨レート計算や 単位変換に便利

「○ドルを円に換算」と話しかけると、現在の為替レートで素早く単位換算して答えを表示してくれます。読み上げてくれるので単位を間違えることもありません。

③

口頭でサクッと メモをとる

テキストエディタやメモアプリを起動するのが面倒な場合は、Siriに「メモをとる」と話しかけ、その後にメモ内容を話しかけましょう。するとメモアプリに内容を記録してくれます。

Spotlightで
あらゆる情報を検索する

Spotlightは、Macに標準搭載されている検索機能です。Macに保存されているファイルだけでなく、アプリケーションやインターネット上の情報まで幅広く検索対象にできます。検索結果画面はファイルをプレビュー表示してくれるので、目的のファイルをスムーズに探し出すことができます。

1 Spotlightを起動して
ファイルを検索する

② キーワードを入力

① 虫眼鏡アイコンをクリック

右上にある虫眼鏡アイコンをクリックすると検索フォームが表示されるのでキーワードを入力します。すると素早く検索結果が表示されます。

CHECK!!

検索候補の表示を
カスタマイズする

検索結果が膨大に表示されるときは、表示する項目を絞り込みましょう。「システム環境設定」から「Spotlight」を開き、「検索結果」タブで、検索結果を表示したくないデータのチェックを外しましょう。

3 クリックして目的の
ファイルにアクセスする

ダブルクリックでファイルを開く

ファイル検索結果でタイトルをクリックすると右側にプレビューが表示されます。タイトルをダブルクリックするとファイルを開いたり、該当のウェブページを開きます。

4 「control」＋「スペース」
で素早く呼び出す

「control」＋「スペース」または
「command」＋「スペース」で起動する

Spotlightは「control」＋「スペース」のショートカットキーで呼び出すことができます。ただMacや言語の状況によっては「command」＋「スペース」の場合もあります。

5 アーティスト情報を
探す

アーティスト名を入力する

アーティスト名を入力すると、そのアーティストに関するニュース記事や音楽のコンテンツ、映画情報を検索結果に表示することができます。

ここが
● ポイント

Finderの検索フォームも
使いこなそう

特定のフォルダ内からファイルを探すならFinderの右上に設置されている検索フォームを使うといいでしょう。開いているフォルダ以下の階層だけを検索対象にでき、検索結果を絞り込むことができます。ファイル名だけでなく、ファイル内に記載された情報も検索対象にできます。

階層を選択する

検索フォームにキーワードを入力する

4 ディスプレイの
明るさを調整する

質問以外にMacの操作でもSiriは便利です。たとえば「画面を暗くして」と話しかけると、自動で画面輝度調節をしてくれるので、環境設定画面を開く必要はありません。

5 スポーツの
結果を知る

「スポーツの結果を教えて」と話しかけると最近行われた世界中のスポーツの試合結果を知ることができます。サッカー、プロ野球、バスケットボールなどの結果を知ることができます。

6 Siriでできることを
知るには？

Siriでできることをもっと知るには、「Siriでできることを教えて」と話しかけましょう。表示される画面をクリックするとAppleのSiri関連の情報を開くことができます。

クリック

新着メールやスケジュールを通知センターで確認しよう

情報をまとめて一覧できる通知センター

通知センターは、Macのシステムやアプリからの通知を表示するスペースです。

新しくメールを受信したり、リマインダーに設定している時刻が迫ったら、通知センターからポップアップと音声で知らせてくれます。通知センターをうまく利用することで重要な情報を見逃してしまうことはありません。カレンダーアプリやリマインダーアプリに登録している「今日の予定」を一覧表示することができます。アプリを1つ1つ起動して情報をチェックする必要なく、あらゆるアプリの予定をここで一覧表示できます。

通知センターではウィジェットを表示することもできます。各ウィジェットごとにさまざまなサイズが用意されており、自分だけの使いやすいウィジェットスペースを作ることができます。

通知センターはウィジェット機能も備えている

通知センターを開く

通知センターを表示するには、デスクトップ右上にある日付と時刻の部分をクリックします。受信したメールや各種アプリからの通知を時間ごとに一覧表示します。

新しくなった通知のデザイン

Montereyではデザインが一新され、連絡先に登録されている相手からであれば相手の写真が表示されます。

通知センターの設定を変更する

① 通知設定を変更する 通知を右クリック

通知設定を変更したいアプリの通知を右クリックするとメニューが表示されます。通知をオフにしたい場合は「オフにする」を選択しましょう。

通知させないなら「オフにする」を選択

② 通知の表示形式を変更する

通知の表示形式を変更する場合は、手順1で「"通知"環境設定」を選択します。各アプリの通知設定画面が表示され、通知形式をカスタマイズできます。

③ アプリごとに細かく通知条件を指定できるようになった

通知設定画面に下の「通知を許可」からアプリごとに細かく通知許可条件を指定できるようになりました。Montereyからの新機能です。

スリープ、ロック、ミラーリングなどの環境での通知設定が行える

ウィジェットを好みの形に
カスタマイズする

　通知センターにある各ウィジェットはカスタマイズすることができます。サイズを変更したり、ドラッグで好きな位置に移動させましょう。

　また、天気予報や株価など表示方法もカスタマイズできます。変更した内容はiCloud経由でほかのiOSデバイスにも反映されます。

1 ウィジェットの位置を変更する

ウィジェットをドラッグすることで自由に位置を変更することができます。

2 ウィジェットのサイズを変更する

ウィジェットのサイズを変更したい場合は、右クリックします。メニューから変更したいサイズにチェックを入れましょう。

3 ウィジェットを削除する

不要なウィジェットは削除しましょう。右クリックから「このウィジェットを削除」を選択します。

4 ウィジェットの設定を変更する

ウィジェットごとに設定を変更することもできます。右クリックから「○○を編集」をクリックすると編集画面が表示されます。

CHECK!!

ウィジェットをまとめて編集するには

　ウィジェットを右クリックしたときに表示されるメニューで「ウィジェットを編集」をクリックすると、指定しているウィジェットだけでなくほかのウィジェットの編集画面も一覧表示されます。ウィジェット全体の設定を変更したい場合に利用しましょう。

ここがポイント

ウィジェットを追加する

　ウィジェットは標準で用意されているもの以外にもたくさんあります。役に立ちそうなウィジェットを探して追加しましょう。ウィジェットを追加するには、「ウィジェットを編集」を選択し、左側に表示されているウィジェットから追加したいものをクリックしましょう。

追加するウィジェットを選択する

---

4 設定画面から通知設定を変更する

通知設定画面は通知センターだけでなく、システム環境設定の「通知と集中モード」から表示させることもできます。通知がないときに通知設定を変更したいときはここからアクセスしましょう。

「通知」をクリック

5 通知センターに表示させないようにする

ロック画面には表示させるが通知センターには表示させないようにするには、通知を許可したまま「通知センターを表示」のチェックだけ外しましょう。

「通知センターに表示」のチェックを外す

6 即時通知をするようにする

「即時通知」にチェックを入れると通知が常時表示され見逃しづらくなります。時間を知らせるリマインダーやカレンダーアプリなど、スケジュールアプリの多くに対応しています。

「即時通知を許可」にチェックを入れる

集中モードを上手く設定して作業効率を上げる

おやすみモードを強化した新機能「集中モード」

macOS Montereyから新しく作業効率を上げるために「集中モード」という新機能が追加されました。集中モードとは、気を散らすものをできるだけ減らして作業に集中できるようにする機能です。以前のOSにあった就寝時間に限って通知をオフにする「おやすみモード」を拡張させたもので、仕事や運転などのほかの時間帯でも、通知音を鳴らさないようにすることができます。また、ほかの人やAppに自分が忙しいことを知らせることもできます。

あらかじめ用意されている集中モードのテンプレート（「運転」、「パーソナル」、「睡眠」、「仕事」など）を選択するほか、オリジナルの集中モードを作成することもできます。

集中モードを起動して有効にする

集中モードを利用するにはタスクバーからコントロールセンターを開き「集中モード」をクリックします。あらかじめ用意されている集中モードが表示されるので有効にしたいモードをクリックしましょう。

コントロールセンターの集中モードのパネルが選択したモードに変更して有効状態になります。集中モードをオフにしたい場合はコントロールセンターを開き、アイコンの部分をクリックすればオフにできます。

用意されている集中モードをカスタマイズする

1

システム環境画面の「通知と集中モード」から

集中モードの設定は、システム環境設定画面に新しく追加された「通知と集中モード」から行うこともできます。

2

「仕事」モードをカスタマイズする

「集中モード」タブを開くと集中モードのリストが一覧表示されます。各リストの細かな設定をしましょう。ここでは「仕事」モードを編集するので「仕事」をクリックします。

3

重要な人からの通知は見逃さないようにする

仕事中でも重要な人からの通知を見逃さないようにするには「オプション」をクリックして「着信を許可」や「繰り返しの着信を許可」にチェックを入れておきましょう。

オリジナルの集中モードリストを作成する

　新たにほかの集中モードリストを追加するほか、自分でオリジナルの集中モードを作成することもできます。作成はシステム環境設定の「通知と集中モード」画面から行います。なお、リストは最大10個まで作成できます。

1 「カスタム」を選択してオリジナルを作成する

左下の「+」をクリックして「カスタム」を選択するとオリジナルのリストを作成することができます。また、用意されているほかのリストを追加することもできます。

2 リスト名やアイコンを設定する

リスト作成画面が表示されます。リスト名を入力して、カラーやアイコンを指定しましょう。

3 オプションや自動有効機能を設定する

リスト一覧に作成したリストが追加されたらクリックします。あとは、「オプション」で重要な人からの通知を許可したり、自動で有効にする時間帯や条件を指定しましょう。

4 コントロールパネルから切り替える

作成したリストはコントロールパネルにある集中モードにも反映され、素早く切り替えて利用することができます。

CHECK!!

「即時通知」設定で確実に受け取る

「カレンダー」や「電話」などの一部のコミュニケーションアプリケーションには、即時通知機能があります（45〜46p参照）。これらのアプリの通知を見逃さないようにするには、オプション画面で「即時通知を許可」にチェックを入れておきましょう。

ここがポイント

集中モードはiOSと連携できるが非連携にもできる

集中モードの各リストは標準では同じApple IDにサインインしているiPhoneやデバイスでも共有されます。便利ですが、Macや特定のデバイスのみに適用したい人も多いでしょう。もし、Macだけに適用したい場合は、集中モードの各リストの下部にある「デバイス間で共有」のチェックを外しましょう。

チェックを入れるとほかのデバイスと共有

4 特定の人からの通知は見逃さないようにする

連絡先に登録している特定の人からの通知のみ許可する場合は、「通知を許可」の追加ボタンをクリックして許可するユーザーを指定しましょう。

クリックして許可するユーザーを追加する

5 指定した時刻にあわせて自動で集中モードにする

「自動的にオンにする」の追加ボタンをクリックすると時間、アプリ、場所などの条件に合わせて自動で有効するように設定することができます。

CHECK!!

おやすみモードは集中モードに統合された

　以前のOSにあった睡眠時における余計な通知をオフにする「おやすみモード」は、集中モードのリストの1つとして統合されています。また、Montereyアップデート時に以前使用していたおやすみモードの設定は自動的に反映されます。

Split Viewを使って画面を分割しよう

画面の狭いMacBookで使うと便利な画面分割機能

画面の狭いMacBookで複数のアプリを起動して作業をすると、ウインドウが重なりがちで作業がしづらく感じるときがあります。マルチタスクを行うときに利用すると便利なのがSplit View機能です。

Split Viewを有効にするとデスクトップが2分割され、ウインドウが重ならないようフルスクリーン表示させることができます。片方でSafariを開きながら、もう片方でテキストエディタで資料作成するときなどに便利です。なお、有効中はDockやメニューバーは非表示になります。mac OS MontereyではSplit Viewで開いているウインドウの切り替えが簡単になる機能が追加されています。全画面のウインドウと背後にあるウインドウや左右のウインドウを簡単に切り替えることができます。

MacでSplit Viewを使ってみよう

左右にドラッグして比率を調節する

Split Viewを有効にすると画面に分割線が表示されます。分割線はドラッグして左右に動かすことができ、アプリ画面の比率を自由に調節できます。

緑ボタンにカーソルを当てウインドウを入れ替える

緑ボタンにカーソルを当て「タイル表示されたウインドウを置き換える」をクリックしましょう。

Split Viewを使ってみよう

① 緑のボタンにカーソルを合わせてSplit Viewを起動する

Split View機能を利用するにはウインドウ左上にある緑ボタンにマウスカーソルを合わせます。表示されるメニューから「ウインドウを画面○側にタイル表示」を選択します。

カーソルを緑ボタンに合わせる

② デスクトップが分割される

デスクトップ画面の半分にフルスクリーンで表示されます。もう半分のデスクトップには現在開いているウインドウがサムネイル表示されます。開きたいウィンドウをクリックしましょう。

開きたいウインドウをクリックしましょう

③ 左右の場所を入れ替える

左右に分割したアプリウインドウの位置を入れ替えたい場合は、カーソルを上部に移動してタイトルバーを表示させ、左右にドラッグしましょう。

タイトルバーをドラッグする

3章

WindowsからMacに乗り換える

FROM Windows TO Mac

WindowsからMacに乗り換える際には、いくつか障壁があります。その重要なポイントを解説しているのが本章です。すごく難しいわけではありませんが、できることならばある程度の期間は両機種を併用できれば安心です。

Windowsで使っていたファイルをMacで再生するには

アプリケーションは使えないがファイルであればたいてい開ける

Windowsで再生していた画像、動画、音楽、オフィスファイルなどの多くは、問題なく再生することができます。Windows形式のWMVファイルなど一部標準では再生できないタイプのものもありますが、別途多機能プレイヤーをインストールすることで再生できます。圧縮ファイルについても同じで、ZIP形式であれば標準で問題なく解凍できます。

注意したいのはアプリケーションファイルです。Windowsにインストールするときに使っていたプログラムファイル「EXE」は、Macでは利用できません。アプリケーションについてはMac専用のファイル形式「dmg」をダウンロードして利用する必要があります。

Windows専用アプリ以外のファイルはだいたい大丈夫!

ほとんどのファイルはMac標準で再生可能!

Macで上手く扱えないファイルは、このアプリで完全解決する!

1

音楽と動画再生のトラブルはVLCメディアプレイヤーで解決!

WMVをはじめ一部の動画はMacでは再生できないことがあります。VLCメディアプレイヤーならMPEG-2、MPEG-4、H.264、MKV、WebM、WMV、MP3、WMVなど多くの形式に対応しています。

VLCメディアプレイヤー:http://www.videolan.org/vlc/

2

MacのiWorkが使いづらいならOfficeやGoogleサービスがおすすめ

ワードやエクセルを閲覧するだけなら、Mac標準搭載のiWorkアプリ(Pages、Keynote、Numbers)で十分ですが、本格的に編集するならOfficeやGoogleドライブを使うといいでしょう。

Office for Mac:https://products.office.com/ja-jp/home
Googleドライブ:https://www.google.com/intl/ja_ALL/drive/

3

ブラウザはChromeやFireFoxも使える

ブラウザは標準搭載のSafariでも十分ですが、ChromeやFirefoxといった人気ブラウザがMac上でも利用できます。

Chrome:http://www.google.co.jp
Firefox:https://www.mozilla.org

Mac版純正Officeを導入するなら
ラインナップをチェックしよう

Mac用Officeにはさまざまな製品があるため、購入する際は注意しましょう。家電量販店で販売されているような買い切り型の製品を購入したい場合は「Office Home & Student 2021 for Mac」もしくは、「Office Home & Business 2021 for Mac」を選びましょう。前者は個人用で価格は

26,184円、後者は法人用で価格は38,284円になります。一度購入したら以降料金を支払う必要がないのがメリットです。

買い切り型とは別に、「Microsoft 365 Personal」シリーズという新しいOfficeもあります。これは、月払いや年払いでOfficeが利用できるサービスです。たとえば1年契約だと12,984円（税込）でこれまで同様、Word、Excel、PowerPointなどのOfficeアプリが利用できます。

本誌おすすめは契約型のMicrosoft 365 Personalです。ほかのシリーズよりメリットが多く、たとえばMacだけでなくWindowsやスマートフォン、タブレットでも利用することができます。また1TBのOneDriveのストレージが利用できたり、毎月60分間のSkypeクレジットが利用できます。最新版ではスペル、文法、スタイルを強化するのに役立つ「Microsoftエディター」を利用することもできます。

Mac版純正Officeのラインナップをチェック！

製品名	Microsoft 365 Personal	Office Home & Student 2021 for Mac	Office Home & Business 2021 for Mac
製品画像	Microsoft 365 Personal	Microsoft Office Home & Student	Microsoft Office Home & Business
価格	¥1,284/1か月 ¥12,984/1年間	¥26,184（買い切り）	¥38,284（買い切り）
利用可能アプリ	W X P O N	W X P	W X P O
利用可能PC	Windows、Mac	2台のMacで利用可能	2台のMacで利用可能
タブレットとスマートフォン	タブレット、スマートフォン（Windows、iOS、Android）など、同一ユーザーが使用するすべてのデバイス（同時に5台までサインイン可能）	-	-
OneDrive	1TBのストレージサービス（OneDrive）が利用できる	-	-
Skype	毎月60分間のSkypeクレジットで携帯電話や固定電話に発信できる	-	-
そのほか	・常に最新バージョンにアップデート ・Officeテクニカル サポート	・非営利目的の使用に限定	
用途	家庭・ビジネス	家庭	家庭・ビジネス

ここがポイント
Office代替サービスを使う手もある！

有料のオフィスをどうしても使いたくない場合は、無料で利用できるサービスを使いましょう。たとえばGoogleドライブはクラウド上でWordやExcelなどのファイルを編集することができます。編集したファイルはローカルにOffice形式でダウンロードすることもできます。ほかにも60-63ページで紹介しているクラウドサービスなどの選択肢があります。

FTPサーバは無料で高機能なCyberduck

FTPサーバへアクセスするためのクライアントは、サードパーティアプリのCyberduckがおすすめです。FTPをはじめDropboxやGoogleドライブなどクラウドストレージにもアクセスできます。

Cyberduck:https://cyberduck.io

メモ帳、ワードパッドはテキストエディット

Windowsのメモ帳やワードパッドに相当するMacの標準アプリはテキストエディットです。リッチテキストと標準テキストのフォーマット選択ができます。

PDFビューアはプレビューを使おう

Mac上でPDFファイルをクリックするとプレビューというアプリが開きます。PDFの閲覧や注釈入れであればプレビューで十分でしょう。ページの並び替えや分割なども行えます。

WindowsのデータをMacへ移行しよう

移行アシスタントを使ってデータを引き継ごう

Windows上にあるさまざまなデータをまとめてMacに移行する場合は「移行アシスタント」を利用しましょう。Windowsパソコン上に保存しているメール、連絡先、ブックマーク、写真などのファイルをネットワーク経由で新しいMacに簡単にコピーでき、Lightningケーブルや外付けハードディスクを使って手動で移動する必要はありません。

移行アシスタントを利用するには、事前にいくつか準備しておく必要があります。MacとWindowsパソコンを同じネットワーク環境に設定しましょう。また、Windows側で移行アシスタントのプログラムを公式サイトからダウンロードしてインストールしておく必要があります。ダウンロード時は、利用しているMacOSに対応したバージョンを選びましょう。

移行アシスタントを使うためのプロセス

移行アシスタントを使う前の準備

WindowとMacを用意する

移行元となるWindowsパソコンと移行先となるMacパソコンを用意します。

同じネットワークに接続する

両方のパソコンを同じWi-Fi、またはEthernetのネットワークに接続させておきましょう。

移行アシスタントを起動する

Macを初期化して起動する

移行アシスタントはMacをはじめて起動したときに表示される初期化画面で利用するのがおすすめです。

どちらかを選ぶか、手動でデータを移動する

手動で移動する場合は56ページへ！

現在のMacから移行アシスタントを起動する

現在すでに使っているMacからでも移行アシスタントは起動できます。「アプリケーション」フォルダの「ユーティリティ」フォルダから移行アシスタントアプリをクリックしましょう。

移行アシスタントを使ってWindowからMacへ移行しよう

① Windows側で移行アシスタントをダウンロードする

まずWindows側でアップルのWindows移行アシスタントの公式サイトにアクセスします。利用しているMacOSをクリックしてプログラムをダウンロードしましょう。

利用しているMacOSを選択する

https://support.apple.com/ja-jp/HT204087

② Windows移行アシスタントをインストールする

プログラムファイルを実行してインストール作業を行います。基本はXP以降のWindowsパソコンであれば利用できます。今回はWindows 10からインストールしてみます。「次へ」をクリックします。

③ Windows移行アシスタントのインストールを完了

インストーラの画面に従って進めていけばインストールは完了です。「完了」をクリックして終了させます。

移行アシスタントで移行できないデータは?

　移行アシスタントでは、移行できるデータとできないデータがあります。メール、メッセージ、連絡先、予定、写真やその他の重要フォルダ内のファイルはまるごと移行できます。なお転送したデータはWindowsと同じフォルダではなく、Macの適切な場所に移動されます。

　移行できないデータは、Mac上で利用できないアプリケーションプログラムです。ただし「Windows」フォルダまたは「Program Files」フォルダに入っている非システムファイルは移動できるので、一部のアプリ内のデータを移動することは可能です。移行時の転送情報選択画面で移行できるデータが一覧表示されるのでチェックするとよいでしょう。

　また、連絡先など一部のデータは現在ログインしているWindowsユーザーに属するデータしか移動できません。別のアカウントのデータを移動するには、そのアカウントに切り替える必要があります。

1 移行アシスタントの「転送する情報を選択」で確認

移行できるデータは移行アシスタントの「転送する情報を選択」画面で確認できます。チェックを付けたデータのみ移行できます。

2 アプリケーションの移行は基本的に不可能

アプリケーションのプログラムは移行できません。アプリケーションファイルが入ったフォルダを移行すると自動的に消えてしまうので注意しましょう。

移行アシスタントでMacに移行できるデータ一覧

メール関連	●Outlook(Windows7以降) 連絡先、IMAP設定、POP設定、メッセージ。 ●Windows Live Mail(Windows7以降) IMAP設定、POP設定、メッセージなど ●Windowsメール(Windows8を除くWindows7以降) 連絡先、IMAP設定、POP設定、メッセージ、
ピクチャ	写真やその他の画像
その他のファイル	●その時点でログインしている Windows ユーザのホームディレクトリの最上位フォルダに入っているファイル ●「Windows」フォルダまたは「Program Files」フォルダに入っている非システムファイル ●ユーザの Windows システムディスク上の最上位にあるフォルダ
ブックマーク	●InternetExplorer ●Windows用Safari・Firefox
iTunesのコンテンツ	●音楽はApple Musicアプリに ●ビデオはApple TVアプリに
システム設定	●言語と位置情報の設定 ●Web ブラウザのホームページ ●カスタムのデスクトップピクチャ

ここがポイント

現在のMacから移行アシスタントを使ったときの注意点

　Macをすでに使っている人でも「ユーティリティ」フォルダにある「移行アシスタント」から利用できます。ただし、すでに利用しているアカウントとは別のアカウントを新たに作成することになり、結果、Mac上にこれまでのデータとWindow用のデータの2つのアカウントが作成される上、現在のMacアカウントから、データにアクセスできないので注意しましょう。

移動したWindowsデータ専用のアカウントが作成される

---

4 Windowsにインストールした移行アシスタントを起動する

インストールが完了したら、移行アシスタントを起動します。「続ける」をクリックします。

5 Windows側の準備は完了 Mac側の準備へ

この画面が表示されたらいったんWindows側の設定は完了です。移行先Macが同じネットワーク上にあるか確認して、Macの方の準備をします。

CHECK!!

「Edgeを強制終了してください」と出て先に進めない!

Windows移行アシスタントを起動すると、「Edgeを強制終了してください」という警告が出て先に進めないことがあります。この問題は、Windowsのタスクマネージャーのプロセス一覧画面を開き、Edgeに関する項目をすべてオフにすることで解決できます。

Windowsのデータは Macのどこへ保存される?

　移行したデータは、Windows時代のフォルダ名やアプリケーション名のままではありません。たとえばWindowsメール関連のデータであれば、Mac標準搭載アプリ「メール」アプリに保存されるなど、あらかじめ移動先が決められています。

1 お気に入り→ Safariのブックマーク

Internet Explorer、Windows版Safari(サポート終了済み)、Firefoxなどに保存されているお気に入りはSafariのブックマークに移動します。

2 メール設定とメッセージ→ 「メール」アプリ

Outlook、Windows Live Mail、Windowsメールなどメールアプリのデータはメールアプリに移動します。なおWindows 8の「メール」には対応していないので注意しましょう。

3 メールの連絡先→ 連絡先

Outlookの連絡先やWindowsメールに登録していた連絡先は連絡先アプリに移動します。メールアプリではないので注意したいところです。

4 Outlookの予定→ カレンダー

Outlookの予定はカレンダーアプリに移動します。ただし移行アシスタントは、64ビット版のOutlookには対応していません。

5 iTunesのコンテンツ→ ミュージック

Windowsに登録していたiTunesの音楽ファイルはそのままMacのミュージックに移動できます。プレイリストもそのまま引き継げます。

ここが ● ポイント

Windowsのパソコンが 表示されない!

ネットワークはきちんとつながっているのにWindowsアシスタントの移行がうまくいかない場合は、ほかにWindowsで開いているアプリをすべて終了させましょう。特にウイルス対策ソフトウェアが常駐起動しているとうまくデータ転送されないことがあります。Windowsファイアウォールもオフにしてみるとよいでしょう。

ファイアウォールをオフにする

---

6 Mac側で移行アシスタント を起動する

移行アシスタントを起動するにはMacを初期化するほか、「アプリケーション」フォルダの「ユーティリティ」フォルダ内から起動することもできます。「Windows PCから」にチェックを入れます。

「Windows PCから」にチェックを入れる

7 ネットワーク上にある WindowsPCを選択する

移行元のWindows PCの名前が表示されたら選択して、「続ける」をクリックします。表示されない場合は同じネットワーク内にない可能性があるのでネットワークを見直しましょう。

「続ける」をクリック

8 Mac上に表示される パスコードをメモしよう

ネットワークの接続がうまくいくとMacの画面にパスコードが表示されます。このパスコードをメモして、Windows側の画面を確認します。

480234

写真やそのほかのデータはホームフォルダへ移行

Windowsの各フォルダ内のデータもMacに移動されます。Finder内の対応したフォルダに移動されますが、Mac標準ではサイドバーの項目部分で非表示になっており、アクセスしづらくなっています。メニューバーの「移動」からホームフォルダへアクセスしましょう。

Windows各種フォルダの移動先

ダウンロード	➡	ダウンロード
デスクトップ	➡	デスクトップ
ピクチャ	➡	ピクチャ
OneDrive	➡	OneDrive
パブリックフォルダ	➡	共有
ドキュメント	➡	書類

これらのフォルダはホームフォルダからアクセスできます。

1 メニューバーの「移動」からホームフォルダにアクセス

「ホーム」を選択します。

Windowsから移動したデータがあるフォルダを一覧表示するにはホームフォルダへアクセスしましょう。Finderのメニューバーの「移動」から「ホーム」を選択します。

2 ホームフォルダを表示する

ホームフォルダが表示されます。Windowsから移行した各種ファイルの大半はホームフォルダ内の各種フォルダへ移動しています。

3 パブリックフォルダは共有フォルダへ

「共有」をクリック

Windowsのパブリックフォルダは「共有」フォルダにあります。メニューバーの「移動」→「コンピューター」→「Macintosh」→「ユーザー」と進み「共有」をクリックします。

4 「"c"からのファイル」というフォルダを開く

「"c"からのファイル」というフォルダが見つかります。これがパブリックフォルダ内にあったファイルが収められたフォルダです。

! ここがポイント

iTunesのコンピューター認証台数に注意しよう

WindowsからMacにデータを移行したときはiTunesで購入したコンテンツの認証台数に注意しましょう。データ移行先のMacでiTunesを起動してiTunes Storeにログインすると、新しいPCとして認証されてしまいます。Apple IDで購入したコンテンツを利用するには5台までと制限があるので、データ移行後はWindows側のiTunesの認証を解除しておきましょう。

⑨ Macの番号とWindowsの番号を照らし合わせる

Windows側のPC画面を開いてみてください。Macに表示されたパスコードが記載されたダイアログが起動しているので「続ける」をクリックします。

323603

「続ける」をクリック

⑩ 移行するデータにチェックを入れる

再びMac側の画面に戻ります。「転送する情報を選択」という画面が表示されます。移行するデータにチェックを入れましょう。最後に「続ける」をクリックすれば移行開始です。

チェックを入れる　　「続ける」をクリック

⑪ 移行が完了するとこのような画面になる

データの移行が完了すると、準備完了画面が出たあとにロック画面が表示されます。

WindowsからMacへ データを手動で移動する

共有フォルダやクラウド経由でデータを移そう

移行するデータが少しだけなら手動でデータを移しましょう。移行アシスタントよりも素早く作業を終えることができます。また手動での作業は移行アシスタントのようにMacを初期化する必要がないため、現在使用しているアカウントのMacにそのままコピーできる点も大きな魅力です。

手動でデータを移すにはさまざまな方法がありますが、最も簡単なのは共有フォルダを使ってLANネットワーク経由でデータを移す方法でしょう。もし、LANネットワークの設定がうまくいかない場合は、DropboxやGoogleドライブなどクラウドアプリを使ってインターネット経由で移すといいでしょう。Windows版と同じくデスクトップアプリをインストールすると、Finderのサイドバーに共有フォルダが作成されます。

ネットワーク経由でデータを手動で移す方法

LANネットワーク経由でデータを移す

Finderのサイドバーの「場所」にWindowsのパブリックフォルダが表示される

WindowsとMacは内蔵の共有機能を使ってファイル共有ができます。MacからWindowsにアクセスするにはWindows側のネットワーク設定で共有機能を有効にしておく必要があります。

クラウドアプリを使ってデータを移す

クラウドアプリのフォルダが作成される

DropboxやGoogleドライブのアカウントを取得しているなら、クラウド経由で移すのもよいでしょう。ただしファイルサイズが大きいと共有するのに少し時間がかかります。

MacからWindowsの共有フォルダにアクセスする

① Windowsのファイル共有機能を有効にする

スタートメニューの「Windowsシステムツール」→「コントロールパネル」→「ネットワークとインターネット」と進み、「ネットワークと共有センター」をクリックします。

「ネットワークと共有センター」をクリック

② 「共有の詳細設定」画面を開く

左にある「共有の詳細設定の変更」をクリックしましょう。

「共有の詳細設定の変更」をクリック

③ 共有設定を変更して保存する

「ネットワーク探索を有効にする」「ファイルとプリンターの共有〜」「Windowsでホームグループ〜」にチェックを入れて「変更の保存」をクリックします。

Dropboxやクラウドアプリで
データを移動する

　既にDropboxなどのクラウド
アプリを利用しているなら、それ
らを使ってデータをMacへ移し
ましょう。大手クラウドサービス
であれば大半はMac版アプリが
リリースされています。ここでは
Dropboxを利用したデータの移
し方を紹介します。

1 公式サイトから ダウンロードする

DropboxのアプリはMac App Storeではなくブラ
ウザで公式サイトにアクセスしてダウンロードする必
要があります。
https://www.dropbox.com/

2 Dropboxフォルダが 追加される

インストールするとサイドバーにDropboxフォルダ
が追加され、ここにデータが同期されます。Dropb
oxのフォルダはホームフォルダからアクセスするこ
ともできます。

3 同期するフォルダを 選択する

設定アイコンをクリックして「基本設定」を選択

標準設定ではDropbox上のすべてのフォルダを同期
してしまいます。同期するフォルダを選択する場合
は、タスクバーのアイコンをクリックして設定アイコ
ンをクリックし、「基本設定」を選択します。

4 「同期」タブを 開く

「フォルダを選択」をクリック

アカウント画面が表示されたら「同期」タブを開きま
す。「フォルダを選択」をクリックします。

5 同期するフォルダに チェックを入れる

チェックを入れる

同期したいフォルダにチェックを入れましょう。選択し
たフォルダのみPCと同期されるので、スムーズにデ
ータの移行が行なえます。

ここが ● ポイント

USBメモリを使って
データを移動する場合の注意

　ネットワークがうまく接続できない場所にパソコンが置いて
ある場合はUSBメモリや外付けハードディスク経由でデータを
移しましょう。基本的にこれまでWindowsマシンで使っていた
USBメモリーをそのまま使っても問題なく動作はします。注意
点として1つのファイルが4GB以上の大容量のものを移す場
合は、フォーマットでexFATにしておく必要があります。

フォーマットで「exFAT」を指定

---

④ パブリックフォルダ にコピーする

共有設定が終わったら「パブリック」フォルダに
Macへ転送したいファイルをコピーしましょう。パ
ブリックフォルダへは「PC」→「Windows」→「Us
ers」からアクセスできます。

パブリックフォルダにデータをコピーする

⑤ Mac側から別名で 接続する

Mac側でFinderを起動し、サイドバーの「場所」に
ある「ネットワーク」からWindowsマシンを選択し
ます。右上の「別名で接続」をクリック。

②「別名で接続」をクリック

①ネットワークからWindowsのマシン名を選択する

⑥ Windowsの ログインパスワードを入力する

「登録ユーザ」にチェックを入れて、Windowsのログ
インに利用しているアカウント名とパスワード
を入力すればアクセスできるようになります。

「登録ユーザ」にチェックを入れる

Windowsのログインに利用しているアカウント名
（MSアカウント名の場合もあり）パスワードを入力する

WindowsとMacの機能や操作を理解しよう

WindowsとMacの大きな違いをチェック！

WindowsとMacはインタフェースや標準搭載のアプリが非常によく似ているため、初めてMacに触っても直感で利用できる部分も多いでしょう。しかしそれでも、Windowsのあの機能はMacではどこにあるのかという場面に出くわすことは多々あります。たとえば、Windows時代であればフォルダの階層構造を見たり移動するには、エクスプローラのアドレスバーを確認すればよかったですが、Mac標準設定ではアドレスバーのようなものがなく、階層構造が分かりにくくなっています。ファイルの表示方法や内蔵ビューアを使った鑑賞方法もWindows時代と多少異なります。そこでWindowsとMacの機能の操作の違いのうち、おもなものをまとめて紹介しましょう。

Macのファインダーとエクスプローラーの違いをチェック

アドレスバーはパスバーで確認する

「パスバーを表示」をクリック

メニューバーの「表示」→「パスバーを表示」を選択すると、Finder下部にWindowsのアドレスバーに相当するパスバーが表示されます。

カラム表示で階層構造を見る

カラム表示アイコンをクリック

ほかに階層構造をチェックするには、Finderの表示方法をカラム表示設定に切り替える方法もあります。

ファイルの拡張子を表示する

チェックを入れる

Macでは標準ではファイルの拡張子は表示されません。表示するにはメニューバーの「Finder」→「環境設定」→「詳細」で「すべてのファイル名拡張子を表示」にチェックを入れましょう。

クイックルックで素早く閲覧する

ファイルを選択してスペースキーをクリック

Windowsの「フォト」のようにフォルダ内のファイルを素早く切り替えて閲覧するには、スペースキーをクリックして起動するクイックルックがおすすめです。矢印キーでファイルを切り替えることができます。

WindowsとMacのアプリの追加と削除の違いは？

 ①

Windowsでのアプリケーションの追加と削除

Windowsでのアプリの追加はインストーラから。削除はスタートメニューの「設定」→「アプリ」の「アプリと機能」から対象アプリを選択して行います。

②

Macでのアプリケーションの追加と削除

Macの場合は、アプリの追加はMac App Storeからかインストーラを利用します。削除はアプリケーションフォルダから直接ゴミ箱にドラッグ＆ドロップします。

③

Windowsでのアプリケーションの終了

Windowsアプリを終了するには、ウインドウ右上端にある「×」ボタンをクリックします。「ファイル」メニューからもアプリを終了できます。

おすすめの 右クリック設定方法

Mac購入時に付属している Magic MouseはWindowsで利用していたマウスと操作が異なり、初期設定では右クリック操作がありません。右クリックメニューを開く場合は「control」キーを押しながらマウスをクリックをする必要があります。

1 「control」キー とマウスクリック

「control」キーを押しながらマウスをクリック

Magic MouseでWindowsのような右クリックメニューを出すには「control」キーを押しながらマウスをクリックしましょう。

CHECK!!

トラックパッドの場合も 「control」キーを押す

MacBookユーザーでトラックパッドで操作をしている場合もMagic Mouseの操作と同じく、「control」キーを押しながらトラックパッドをクリックすることで右クリック操作が可能になります。

2 システム環境設定から 「マウス」を選択する

「マウス」をクリック

Windowsのような右クリック操作に変更する場合は、アップルメニューの「システム環境設定」を開いて「マウス」をクリックします。

3 Magic Mouseの 右クリック設定を変更する

「副ボタンのクリック」にチェックを入れる

「ポイントとクリック」を開き、「副ボタンのクリック」にチェックを入れて、「右側をクリック」にチェックを入れましょう。これで右クリックが可能になります。

4 トラックパッドの 右クリック設定を変更する

右下隅をクリック、など適用したい操作を指定する

トラックパッドユーザーの場合は「システム環境設定」から「トラックパッド」を開き、「副ボタンのクリック」にチェックを入れて、右クリックの操作を指定しましょう。

ここが ポイント

ブートキャンプで Windows環境を作ることも可能

どうしてもWindows環境が必要になってしまった場合、わざわざWindows用のPCを別途購入しなくても現状のMacのパーティションを分割し、片方のスペースにWindowsをインストールすることができます。これらの作業を行うには内蔵アプリ「Boot Camp」を使いましょう。Windowsのインストールメディアさえあれば、Windows環境を構築できます。

「ユーティリティ」フォルダから 「Boot Campアシスタント」をクリック

※2020年以降のM1チップ搭載のMacでは、Windowsをインストールする際の操作が異なります。

---

④ Macでの アプリケーションの終了

Macでもウインドウ左上に「×」ボタンがありますが、これをクリックしてもウインドウが閉じるだけで終了していません。メニューバーの「アプリ名」→「終了する」から終了しましょう。

⑤ Windowsでの デバイスの外し方

WindowsでUSBメモリや外付けハードディスクを取り外す場合は、アイコンを右クリックして「取り出し」をクリックするか、通知領域のアイコンをクリックして「安全に取り外す」を選択します。

⑥ Macでの デバイスの外し方

Macで外付けデバイスを接続するとデスクトップにアイコンが表示されます。取り外す場合はこのアイコンをゴミ箱にドラッグ&ドロップすればよいでしょう。

あまりお金をかけずOfficeをMacで使うには？

標準搭載されているiWorkを使いこなす

Microsoft Officeを利用したいがために高価なMac版Officeを購入せざるをえないという人は多いでしょう。しかし、ちょっとした編集や閲覧だけならMacでも標準で行えます。Apple純正のオフィススイート「iWork」シリーズを活用しましょう。

iWorkは「Pages」「Numbers」「Keynote」の3つのアプリで構成されています。これらをMicrosoftのOfficeにたとえると、文章入力のWordがPages、表計算のExcelがNumbers、プレゼンテーションのPowerPointがKeynoteにあたります。各アプリはMicrosoft Office形式のファイルの読み込みや出力にも対応しています。2017年から完全に無料化されたアプリなのでぜひとも使いこなしましょう。Mac App Storeからダウンロードできます。

Apple純正のオフィススイート「iWork」シリーズとは

Pages

自由度の高いワードプロセッサ。テキストや写真、グラフといった素材を自由にレイアウトして、美しい文書を簡単に作成することができます。

Numbers

一枚のシートに複数の表を入れ込めたり、テキストや写真も自由にレイアウトできる表計算アプリ。数式の入力も可能です。

Keynote

PowerPointと互換性のあるプレゼンテーションアプリ。作成はもちろんのことオフィスで作成したプレゼンテーションを読み込んで編集することもできます。

無料で使えるiWorkを使ってみよう

① Mac App Storeからダウンロードする

iWorkは標準搭載のアプリではないため、Mac App Storeからそれぞれダウンロードする必要があります。もちろんダウンロードは無料です。

② エクセルをNumbersで開いてみよう

ExcelファイルをNumbersで開いてみましょう。問題なく表示できました。メニューは見慣れないので編集には戸惑いますが、セルの簡単な編集であればいつも通りの操作でできます。

③ 作成した表計算をエクセル形式で書き出す

Numbersで新規作成したファイルをExcelで読み込めるように書き出すには、メニューバーの「ファイル」から「書き出す」で「Excel」を選択しましょう。するとxlsx形式で出力できます。

「書き出す」から「Excel」を選択する

無料でオフィスファイルを編集する

「LibreOffice」は無料で利用できるオフィスアプリです。マイクロソフト製オフィスと互換性が高く、インタフェースもよく似ています。iWorkのインタフェースに慣れない人におすすめです。

LibreOffice
作者／The Document Fou
価格／無料
URL／https://ja.libreoffice.org/

1 公式サイトからダウンロードする

本体ファイルをダウンロード
日本語化ファイルをダウンロード

LibreOfficeはMac App Storeではなく公式サイトからダウンロードする必要があります。サイトにアクセスしたら本体ファイルと日本語化ファイルの両方をダウンロードしましょう。

CHECK!!

日本語化ファイルもダウンロードしよう

LibreOfficeはそのままでは英語インタフェースで使いづらいです。ダウンロードサイトには日本語化ファイルも一緒に配布されているので、ダウンロードしましょう。インストール先にLibreOfficeを選択するだけと簡単です。

2 LibreOfficeで作成できるドキュメント

LibreOfficeでは、文書や表計算、プレゼンテーションといったオフィスの基本ツールにくわえ、ドローツール、データベース、数式エディタも搭載しています。

3 オフィス文書を開いて編集する

新規ドキュメントを作成するのはもちろん、エクセルやワードなどのオフィス形式のファイルを開いて編集できます。ただし、複雑なマクロなどを利用していると開けないことがあります。

4 MS Office形式やPDF形式での保存も可能

標準ファイル形式は「ODF」ですが、保存する際にオフィス形式を指定して保存したり、PDFへエクスポートすることもできます。

ここがポイント

低価格の市販オフィスアプリにも注目しよう

iWorkやLibreOffice以外の選択肢として低価格で販売されている市販のソフトもあります。「Polaris Office for Mac」は、Mac OS向けのOffice互換ソフトです。Word、Excel、Power Point 2016～97の各形式に対応し、最新のmacOS「Monterey」にも対応しています。それでいて価格は、Officeの約6分の1の4,378円です。

---

iWorkはクラウド上でも利用できる

① iCloud.comを使ってファイルを閲覧する

iWorkはクラウド上でブラウザ経由で利用することもできます。利用するには「iCloud.com (https://www.icloud.com/)」にアクセスして、利用しているApple IDでログインします。

② ファイルをアップロードして閲覧する

手元にあるオフィスファイルをアップロードするには、設定アイコンをクリックして「スプレッドシートをアップロード」を選択します。

クリックしてファイルを選択する

③ 編集したファイルを書き出す

iCloud.comで編集したファイルをダウンロードするには、スパナアイコンをクリックして「コピーをダウンロード」を選択して、ファイル形式を指定しましょう。

「コピーをダウンロード」をクリックする

閲覧中心でOKなら互換性の高いOffice Online

他人から受け取ったExcelやWordを閲覧するのが中心であれば「Office Online」を利用しましょう。Microsoft公式のOfficeWebアプリで、アプリ版とほぼ同様のインターフェースを誇ります。

APP
Office Online
作者／Microsoft
価格／無料
URL／https://www.microsoft.com/ja-jp/microsoft-365/free-office-online-for-the-web

1 公式サイトにアクセスする

アプリケーションを選択

公式サイトにアクセスしたら、利用しているMSアカウントを入力してログインして、Word、Excel、PowerPoint、OneNoteから利用したいアプリケーションのアイコンをクリックしましょう。

2 ファイルをアップロードする

ここではExcel Onlineにログインしました。上向き矢印のアップロードボタンをクリックして、閲覧したいファイルをアップロードしましょう。

3 崩れのないレイアウトでフォントもきちんと再現

最新版Officeとほぼ同じレイアウトのリボンメニューが表示されます。フォント、レイアウトについての互換性は高く、およそ同じ感覚で利用できます。

4 ウェブアプリ版ならではの共有機能

公開URLを作成して共有できる

Webアプリらしく、共有機能もあります。「共有」ボタンから共有したい人に編集権や閲覧権を付与できます。わざわざファイルを自分で保存して相手に送る必要はありません。

CHECK!!

Office OnlineはOneDriveの機能の一部！

Office OnlineはOneDriveと連携しています。すでにOneDriveを利用しているなら、事前にOneDriveにファイルを保存しておけば、ログイン後「OneDriveから開く」ですぐに読み込めます。

！ここがポイント

Dropbox上のファイルをOffice Onlineで開く

Dropbox上にあるExcelやWordはすぐにOffice Onlineで開いて編集できます。ブラウザでDropboxにアクセスしてファイルを開いたら、右上にある「開く」をクリックするとすぐにExcel Onlineで開けます。保存する際はDropboxに上書き保存できます。また、Googleスプレッドシートで開くこともできます。

アプリを切り替える／ファイルを保存する

① ほかのアプリに切り替える

ほかのアプリに切り替えるには左上のアイコンをクリックします。利用可能なアプリが一覧表示されるので、目的のアプリを選択しましょう。

② 保存する際は「ファイル」から

編集したファイルは自動的にOneDriveに保存されていますが、ローカルにダウンロードする場合は、左上の「ファイル」をクリックします。

「ファイル」をクリック

③ 名前を付けて保存する

メニューが開きます。「名前を付けて保存」をクリックし、「名前を付けて保存」を選択するとダウンロードできます。

①「名前を付けて保存」をクリック
②「名前を付けて保存」を選択する

4章

標準アプリを使いこなす

BASIC APP MASTER

Web閲覧、メール、写真・PDF編集、カレンダーなどの、一般的にパソコンで必要な操作はすべてMacに標準装備のアプリで必要十分です。有料のアプリを一切導入しなくても、当分は問題なくあらゆる用途に役立つはずです。

Mac標準のウェブブラウザ「Safari」の操作をマスターしよう

ウェブページの閲覧に必須の高機能ブラウザ

Macでウェブサイトを閲覧するには「Safari」を利用します。ブックマーク、タブ、ウェブ検索などブラウジングを快適に行う定番機能を搭載しており、インタフェースもほかのEdgeやChromeなどのブラウザとよく似ているため、初めてでも違和感なく利用できるでしょう。

ブックマーク、開いているタブ、ログインパスワード、履歴などのブラウザ内のデータはiOS端末と同期でき、Mac、iPad、iPhoneのブラウザ情報をいつも同じ状態にできます。

最新版ではタブバーのレイアウトをコンパクトに変更することができ、またページにあわせてSafariのカラーが自動変更するようになりました。

Safariのインタフェースをチェックしよう

サイドバー
クリックするとサイドバーが表示されます。サイドバーではブックマークに登録したページやリーディングリストに登録した記事を一覧表示できます。

スマート検索フィールド

Safariのアドレスバーは検索機能も備えており、キーワードを入力すればGoogleで検索結果を表示してくれます。また、クリックすると「お気に入り」を表示してくれます。

タブ

クリックすると現在開いているタブをサムネイル形式で一覧表示できるほか、同じApple IDでログインしているiOS端末で開いているタブも表示できます。

ブックマークにページを追加する

① よくアクセスするページはブックマークに登録する

Safariでページを開いた状態で「共有」アイコンをクリックして「ブックマークに追加」をクリックすると、ブックマークにページが追加されます。

共有メニューから「ブックマークに追加」をクリック

② サイドバーやメニューバーブックマークを利用する

ブックマークに登録したページにアクセスするには、サイドバーを表示させ「ブックマーク」タブを開きましょう。メニューバーの「ブックマーク」からアクセスもできます。

②メニューバーの「ブックマーク」から利用する

①サイドバーから利用する

CHECK!!

「ブックマーク」と「お気に入り」の違いに注意しよう

Safariでは「ブックマーク」と「お気に入り」があります。「お気に入り」に登録したページはスマート検索フィールドをクリックしたときに表示される画面から素早くアクセスできます。

ページの閲覧をサポートする タブに備わるさまざまな機能

複数のウェブページに同時にアクセスできるタブは、情報収集時などにとても重宝しますが、Safariのタブ機能はそれだけではありません。閲覧しやすいようにタブを並び替えたり、別のウインドウとして開いたりと、状況に応じた操作が可能です。

1 ウェブページをタブで開くと 複数のページにアクセスできる

タブで開いているウェブページ

新規タブを開く

新規タブを開くと、ひとつのウィンドウで複数のウェブページにアクセスすることができます。表示するページの切り替えはタブをクリックするだけで、ドラッグ&ドロップにより並び替えもできます。

2 開きっぱなしにしておきたい タブは固定表示にできる

①固定したいタブを開く

②タブを固定を選択

③タブが固定される

ずっと開いておきたいタブがあるときには、そのタブを開いた状態でメニューバーの「ウインドウ」から「タブを固定」を選択しましょう。左側にタブが固定され、同様の手順で解除するまで表示されます。

3 タブで開いているウェブページを 新しいウインドウで開く

①タブをドラッグ&ドロップ

②新しいウインドウとして表示

複数のタブを開いている際に、ひとつのタブをSafariのウインドウ外にドラッグ&ドロップすると、新しいウインドウとして開けます。

4 開きすぎたウインドウは タブにしてまとめられる

逆に複数のウインドウでウェブページを開いている場合には、メニューバーの「ウインドウ」から「すべてのウインドウを結合」を選択すれば、ひとつのウインドウ上にタブとして表示されます。

5 お気に入りの 表示を増やす

クリック

スマート検索ボックスをクリックしたときに表示される画面の内容を増やすには右上の「表示を増やす/減らす」をクリックしましょう。隠れているほかの登録サイトやよく訪問するサイトが表示されます。

！ここが ● ポイント

トラッキング防止機能を 有効にして プライバシーを保護する

Safariでは個人情報を保護する機能がたくさんあります。特に有効にしておきたいのはトラッキングの停止を求める機能です。有効にするとユーザーのウェブ閲覧履歴にもとづいた広告をできるだけ表示しないようにしてくれます。「Safari」メニューから「環境設定」→「プライバシー」と進み、「サイト越えトラッキングを防ぐ」にチェックを入れましょう。

チェックを入れる

---

③ スマート検索フィールドで お気に入りのページを表示

スマート検索フィールドをクリックすると、お気に入りに登録済みのページがアイコン表示されます。クリックすれば該当のページに素早くアクセスすることができます。

スマート検索フィールドをクリック

お気に入りに登録したページが表示

④ 新しいタブのお気に入り一覧で 並び替えや削除をする

新しいタブを開いた際にも、お気に入りに登録したページが表示されます。ここではドラッグ&ドロップでページの並び替えを行ったり、右クリックしてメニューから「削除」することもできます。

新規タブを開く

ドラッグ&ドロップで 並び替える

右クリックして削除

⑤ スマート検索フィールドの 検索エンジンを変更する

スマート検索フィールドからキーワード検索を行う際の検索エンジンは、メニューバーの「Safari」、「検索エンジン」から「検索」を開き、「検索エンジン」のプルダウンメニューを開くと変更できます。

①検索を開く

②検索エンジンを選択

便利な最新機能「タブグループ」を使ってみよう

よく開くページは
タブグループに追加しよう

ブラウザを使っているとタブが増え使いづらくなってきます。そんなときは「タブグループ」で整理しましょう。タブをグループに分類することで管理しやすくなります。グループは複数作ることができ、好きな名前を付けることもできます。

1 タブを
タブグループに

「タブグループへ移動」→「新規タブグループ」を選択する

タブグループに追加したいタブを右クリックして、「タブグループへ移動」から「新規タブグループ」を選択します。

2 タブグループの
名前を付ける

タブグループの名前を付ける

サイドバーにタブグループが作成されます。初期設定では「名称未設定」になっていますが、クリックしてタブグループに名前を付けることができます。

3 タブグループと通常の
タブバーを切り替える

作成したタブグループ名をクリックするとそのタブが開きます。元のタブバーに戻る場合は「○個のタブ」をクリックしましょう。

4 ほかのタブを作成した
タブグループに追加する

右クリックして「新規フォルダ」を選択する

ほかのタブを作成したタブグループに追加したい場合は、右クリックから「タブグループへ移動」で作成したタブグループ名を指定しましょう。

5 右クリックから
タブグループを編集する

タブグループを右クリックする

作成したタブグループの名称を変更したり、削除したい場合は、右クリックメニューから行いましょう。

！ここが ● ポイント
ブックマークをそのまま タブグループにできる

ブックマークに登録しているサイトをタブグループに直接追加することもできます。さらに、ブックマークフォルダごと追加することも可能で、追加すればクリック1つでフォルダ内のサイトをタブで展開することができ便利です。

ブックマーク上で右クリックして「タブグループに開く」を選択する。

Safariの新機能！タブのレイアウトをコンパクトにする

タブのレイアウトを「コンパクト」に変更すると、タブとスマート検索フィールドが1つになり、タブをクリックすると検索フィールドが表示されるようになります。また、タブの色が開いているウェブサイトと同じ色に変化します。

1 Safariのタブ設定を
変更する

①「タブ」を開く
②「コンパクト」をクリック

Safariのメニューバーから「環境設定」→「タブ」を開き、タブのレイアウトの設定で「コンパクト」をクリックします。

2 タブのレイアウトが
変化する

タブをクリックするとスマート検索フィールドに変化する

スマート検索フィールドがなくなりますが、タブをクリックするとスマート検索フィールドに切り替わり、ウェブ検索ができます。

あとで読みたい記事を一時的に保存できるリーディングリスト

お気に入りが頻繁にアクセスするページを登録しておく機能なのに対して、リーディングリストはあとで読みたい記事を一時的に保存しておくのに最適な機能です。フォルダでの整理や並び替えなどはできないため、確認が終わった記事は削除するように心がけましょう。

1 Safariで開いたページをリーディングリストに追加

リーディングリストに追加したいページを開いた状態でツールバーの「共有」アイコンをクリックします。メニューが表示されるので「リーディングリストに追加」を選択しましょう。

2 サイドバーを表示してリーディングリストを選択

サイドバーをクリックして開き、「リーディングリスト」を選択しましょう。

3 リーディングリストから確認したい項目を選択する

リーディングリストに追加したページが新しい順に並んでいます。内容を確認したい項目をクリックして開きましょう。

4 項目を右クリックすれば新しいタブでも開ける

項目を右クリックすると、新規タブや新規ウインドウで開くこともできます。また、一度開いた項目を未読にすることもできます。

CHECK!!

リーディングリストは一時保存 不要になった項目は削除する

内容を確認して不要になった項目をそのままにしておくと、必要な項目がわかりにくくなってしまいます。不要になった項目は右クリックし、メニューから「項目を削除」を選択して削除してしまいましょう。

Safariはパスワード作成もしてくれる

Safariでは、Webサービスなどで会員登録をする際に設定するパスワードを自動で作成してくれます。また、ログイン時には入力フォームをクリックするだけで、作成したパスワードを入力してくれるので自分で覚えておく必要もありません。パスワードの変更も行えます。もし、作成したパスワード内容を確認したい場合はSafariの「環境設定」の「パスワード」から確認できます。指紋認証付きのMacを所有しているなら、指で触れるだけでパスワードを入力することもできます。

1 パスワード入力フォームをクリックする

アカウント作成画面にあるパスワード入力欄をクリックすると自動でパスワードを作成してくれます。使用する場合は「強力なパスワードを使用」をクリックしましょう。

2 作成したパスワードでログインする

パスワード設定後、ログイン画面でメールアドレスなどのアカウント名を入力すると自動的に「このサイトから」というダイアログが表示されます。クリックすると登録したパスワードが入力されます。

3 パスワードを確認する

Safariで利用したパスワードを調べたいときは、Safariのメニューの「Safari」から「環境設定」を選択して「パスワード」をクリックし、Macのログインパスワードを入力すれば表示できます。

Gmailも簡単に登録して使える 使いやすい標準メール

扱いやすいのに高機能だから 多くのユーザーが愛用する

メールを送受信するための標準アプリは、その名もズバリ「メール」です。メールトレイ、メール一覧、メールの詳細というシンプルな3ペインのインターフェイスは、さまざまなメールクライアントで採用されている形式。iOSの「メール」アプリとよく似たインターフェースなので、iPhoneユーザーは使いやすいでしょう。

iCloudメールや各インターネットプロバイダーから取得したメールのアドレスはもちろん、Gmailアドレスもアカウントの入力だけで登録できます。また、メールに写真を添付して送信する際には、相手の環境にあわせて写真を圧縮する機能も備わっています。これさえあれば、ほかのメールクライアントは不要です。

iOSライクな洗練された メールクライアント

連絡先と連携

連絡先に登録したアドレスは、宛先に氏名を入力すれば呼び出せます。

さまざまなアカウントを登録

iCloudやGmailのアカウントを登録してメールの送受信ができます。プロバイダーのメールももちろん登録可能です。

大容量ファイルの送信も可能

メールに添付できない大容量ファイルは、自動的にiCloudのMailDrop機能を使って送ることができます。

はじめに覚えたいメールの送信方法と受信メールの管理

① 新しいメッセージの 作成ウィンドウを開く

メールを起動したら、右ペインのツールバーにある「新規メッセージを作成します」をクリックします。また、メニューバーの「ファイル」、「新規メッセージ」からも同様にウィンドウを開くことができます。

② 連絡先の登録情報から 宛先を呼び出して入力する

新規メッセージウインドウが開いたら、宛先を入力しましょう。直接メールアドレスを入力することもできますが、「連絡先」に登録されている氏名を入力して、アドレスを呼び出すのが便利です。

氏名を入力して連絡先から
メールアドレスの候補を選択する

③ 件名と本文を入力して メッセージを送信しよう

宛先を入力したら、続けて「件名」や「本文」を入力しましょう。同じメールを別の宛先にも同送したい場合には「Cc:」に追加、複数のアドレスを登録している場合には「差出人」で変更できます。

メッセージを送信する

Googleアカウントの入力だけで メールにGmailが登録できる

Gmailは無料でアドレスを取得できるため、多くのユーザーが利用しているウェブメールです。メールにはアカウント情報の入力だけで登録が可能で、ブラウザを開かなくてもメールの送受信ができるようになります。この手順ではあわせて連絡先やカレンダーなども同期できます。

1 メールアカウントの追加画面を 開いてGoogleを選択する

メニューバーの「メール」から「アカウント追加」をクリックします。メールウインドウ上にプロバイダの選択画面が表示されるので、「Google」を選択しましょう。

2 Gmailのアドレスと パスワードを入力する

画面の表示にしたがって、Googleのメールアドレスとパスワードを入力しましょう。メールアドレスの入力時には「@gmail.com」は不要です。それぞれ入力したら「次へ」をクリックします。

3 Macのアプリと同期する Googleサービスを選択

Googleアカウントで利用できるサービスのなかから、Macに同期したいサービスをチェックします。「連絡先」を同期しておけば、宛先を簡単に入力できるようになるのでおすすめです。

4 メールアドレスが追加されて メールが読み込まれる

手順3で「完了」をクリックすると、Gmailのアドレスが追加されます。アカウントで受信しているメールは自動的に読み込まれます。メールを確認する際は左から該当するアドレスを選びましょう。

CHECK!!

登録したアカウントを 削除するには

「メール」アプリに登録したアカウントを削除する場合は、メニューの「メール」の「アカウント」を開き、削除したいアカウントを選択して削除ボタンをクリックしましょう。

！ここが ●ポイント

大きすぎる添付写真も 事前の縮小は必要なし！ 3種類からサイズを選ぼう

Macのメールは、ドラッグ&ドロップでファイルを添付することができますが、送信相手がサイズの大きな添付ファイルを受信できない場合には、写真を添付後に「イメージサイズ」メニューを開き、サイズを圧縮しましょう。圧縮レベルは「大／中／小」から選択できます。イメージサイズを決定すると右側に圧縮後のサイズが表示されますので、確認が可能です。

添付ファイルのサイズを選択

4 受信メールを選択した際の 操作を確認しよう

受信したメールを選択しているときには、ツールバーのアイコンで返信や転送、ゴミ箱への移動、フラグを付けるといった操作ができます。フラグは7色あり、重要なメールの目印に使えます。

アーカイブに追加　フラグを付ける
メッセージの削除／迷惑メールに移動　差出人に返信／すべての受信者に返信／転送する

CHECK!!

ゴミ箱とアーカイブは どう使い分ければいい？

「ゴミ箱」は不要なメールの移動先で、いずれは削除を行います。一方で「アーカイブ」は確認済みのメールの保存場所です。削除はしたくないが受信箱にあるとジャマなメールはアーカイブに移動しましょう。

5 メールの文末に名前や アドレスなどの署名を挿入

メニューバーの「メール」、「環境設定」の「署名」タブで、メール本文の後に表示する署名を設定することができます。アドレスごとに異なる署名を作成できるので、用途にあわせて編集しましょう。

①署名を開く
②アドレスを選択
③署名を作成する

写真の管理や編集なら iPhoneと連動した写真が便利

管理だけじゃなく 簡単なレタッチにも対応

　モバイル端末に搭載されているカメラ機能の向上により、以前にも増して写真を残すことが多くなりました。そこで悩ましいのが写真の管理。しかしMacに標準搭載されている「写真」を使えば、撮影した写真の転送や管理だけでなく、ちょっとした加工も簡単に行えるようになります。

　また、このアプリはiPhoneとの親和性が高く、MacとiPhoneの両方のiCloud機能を有効にすることで、簡単に写真の同期ができるようになっています。携帯端末の容量を大きく圧迫する原因になってしまいがちな写真ですが、iCloudを経由して同期すれば、端末内に写真を残しておく必要もなくなります。膨大な写真を快適に管理できる優秀なアプリと言えます。

モバイル端末の写真も ここに集約される

共有メニュー

他のアプリと共有するなら、この機能を使うのが有効です。

写真データの同期

Appleデバイス同士なら、iCloudを経由して快適に写真データを同期できます。iCloud写真については、84ページで解説しています。

レタッチ機能

写真の管理だけでなく、簡単なレタッチ機能も搭載されています。

写真のレタッチやトリミングを行う

① 写真を選択して 編集モードに切り替える

レタッチしたい写真を選択したらダブルクリックします。右上にある「編集」ボタンをクリックすると編集モードに切り替わります。

クリック

② 編集モード時の 表示と使い方をマスター

編集モードではウインドウ内の表示が変化します。主要なレタッチメニューはウインドウ右に集約されており、編集の完了時はウインドウ右上のボタンから通常表示に戻ることができます。

完了

編集の終了

画像のズームイン/アウト

レタッチメニュー

③ フィルターやトリミングなど ちょっとした加工が簡単に行える

写真全体のイメージを大きく変えるならフィルターが有効。あらかじめ用意されたフィルターから好きなものを選ぶだけです。また、トリミングや画像の傾きも簡単に変更することができます。

フィルター

トリミング

iPhone内にある写真を素早くインポートしよう

写真では、iPhoneで撮影した写真を読み込んで管理、バックアップすることができます。手順はとても簡単で、Macに接続し、写真を起動したら、すべての写真を読み込むか、任意の写真を読み込むかを判断すればOKです。

1 iPhoneなどを接続して端末を選択する

Macとモバイル端末を接続したら、サイドバーに表示されている端末名をクリックします。

2 新しい写真を全て読み込むならボタンひとつでOK

以前の接続のあとで撮影した写真をまとめて読み込むならこちらをクリック。

3 特定の写真を選択して読み込みを行う

任意の写真だけを読み込む場合には、写真にチェックを入れて読み込みを行います。

4 読み込みが完了したら「ライブラリ」から確認

読み込んだ後はサイドバーの「ライブラリ」を選択すると確認することができます。

CHECK!!

読み込みには多くの時間がかかる場合も

「すべての新しい項目を読み込む」を選択すると、場合によって長い時間が必要になることもあります。また、読み込み後の写真を管理する手間も増えるため、写真はこまめに読み込みましょう。

! ここが ● ポイント

iPhoneのLive Photosで撮影した写真を編集する

シャッターを切った前後の1.5秒を映像として保存もできるライブフォト撮影された写真は、Macの「写真」でも管理できます。また「写真」アプリの編集画面でエフェクトを追加してGIFアニメを作ることができます。

編集画面下部のプルダウンメニューからエフェクトを指定する

アルバムを作成して写真を分類する

アルバムで賢く整理すれば探すのも見返すのもらくらく

膨大な写真データは、ただ保存しておくだけでは不十分です。アルバムなどでしっかり分類しておけば、目的の写真を探し出す時や、スライドショーなどを作成する場合も非常にスムーズになるのでオススメです。また、ここで作成したアルバムは、モバイル端末でも見られます。

1 サイドバーの「マイアルバム」を右クリックして新規作成する

サイドバーに表示されている「マイアルバム」という項目を右クリックすると、フローティングメニューから新規作成することができます。最初にアルバム名を入力しましょう。

2 写真を選択してアルバムに追加すればOK

アルバムに写真をまとめて追加するには、写真を複数選択した状態で右クリックし、「追加」から追加先のアルバム名を選択しましょう。

追加先のアルバム名を選択する

画像やPDFの編集に欠かせない 標準アプリのプレビュー

画像の編集もPDFの編集も標準アプリだけで十分!

Macで画像やPDFをダブルクリックした際に起動するビューアアプリ「プレビュー」は、非常に多機能です。画像であればリサイズ、色調補正、フォーマット変換が行えます。PDFであれば注釈、ページの分割、結合、入れ替えなどが行えます。動作も非常に軽快でメモリ負担も少ないので、ちょっとした編集であれば専用のレタッチアプリを使うよりもはるかに役立つでしょう。

インターフェースもシンプルで、ウインドウ上部にあるツールバーからほとんどの作業が行なえ、編集したファイルはほかのアプリやサービスに素早く転送することができます。

Macで定番の ビューアアプリを使いこなそう

プレビューのインターフェース

サイドバー
ツールバー左端のボタンをクリックするとPDFのページをサムネイルで表示します。書き加えた注釈を一覧表示したり、ブックマーク、コンタクトシートなども表示できます。

ツールバー
表示しているファイルを拡大したり、回転したりできます。

クリックして拡大・縮小　　クリックして回転

マークアップバー
ツールバーにあるマークアップボタンをクリックすると表示され、普段は非表示になっています。リサイズ、明るさ調整、色調補正、注釈などさまざまな編集が行なえます。

クイックルックとプレビューを使い分けよう
画像やPDFを選択した状態でスペースキーをクリックすると「クイックルック」というビューアが起動します。プレビューより起動が高速な上、矢印キーを使ってファイルを切り替えることができます。ファイル内容をちら見するときに便利です。

縦横比を維持したまま画像のサイズを変更する

「ツール」から 「サイズを調整」をクリック
プレビューで開いている画像の縦横比を維持したままサイズ変更できます。メニューの「ツール」から「サイズ調整」をクリックしましょう。

「ツール」から「サイズを調整」をクリック

「縦横比を固定」に チェックを付ける
「縦横比を固定」にチェックを付けたあと、「幅」もしくは「高さ」のどちらかの数値を変更すると、自動的にもう一方の数値も変更します。

②数値を変更する
幅: 1600
高さ: 1048
解像度: 72
①チェックを付ける

CHECK!!

オリジナルファイルが 変更されてしまうのを防ぐには?

Macではレタッチしたファイルを別名で保存しても、オリジナルフアイルまでレタッチされます。「システム環境設定」→「一般」→「書類を閉じる〜」にチェックを入れることで、変更を防ぐことができます。

Macで音楽ファイルを再生・管理する「ミュージック」

iTunesアプリが廃止され「ミュージック」アプリに変更

Macで音楽を再生・管理するにはこれまで「iTunes」を利用する必要がありました。しかし、macOSのCatalinaから「iTunes」は廃止され、代わりに「ミュージック」というアプリが追加されました。名前は変更されましたがインターフェースや使用感は以前とさほど変わりません。82ページで紹介するiOSデバイスとの同期機能が省かれ、より音楽に焦点を当てたスタイリッシュな仕様になっています。

「ミュージック」アプリは、通常のプレイヤーと異なり音楽ファイルを管理するライブラリや音楽CDをインポートする機能を搭載しています。ライブラリを使えばMac上にある音楽ファイルを一元管理でき、登録した楽曲からプレイリストを作成できます。また、Appleの音楽配信サービス「Apple Music」を視聴する際にも「ミュージック」アプリを利用する必要があります。

「ミュージック」アプリのインターフェースを把握しよう

ライブラリ
Apple Musicから追加した楽曲や音楽CDからインポートした楽曲を一元管理できるライブラリです。アーティスト、アルバム、ミュージックビデオなどさまざまな形式で整理できます。

Apple Music
「今すぐ聴く」「見つける」「ラジオ」はApple Musicのコンテンツです。Apple Musicの利用は有料で月額980円を支払う必要があります。

プレイリスト
ライブラリ上にある音楽ファイルから作成したプレイリストが表示されます。

コントロールバー
選択した楽曲やアルバムの再生、停止、リピート再生、シャッフル再生、音量調節が行えます。

音楽CDをインポートしてライブラリに登録する

1 ミュージックの読み込み設定を変更する

音楽CDをインポートする場合、事前に読み込み設定を調整しておきましょう。メニューの「ミュージック」から「環境設定」を開き、「ファイル」タブを開き、「読み込み設定」をクリック。

2 ファイル形式を選択する

読み込み方法のプルダウンメニューからインポート時のファイル形式を指定します。設定したら「OK」をクリックします。通常はデフォルトのAACエンコーダーのままで問題ありません。

ファイル形式を指定する

3 音楽CDをセットしてインポートする

設定が終わったらドライブに音楽CDを挿入します。「デバイス」にCDの名前が表示されるのでクリックします。自動的に楽曲がインポートされます。

※現在発売されているMac本体には、基本的にCDドライブが装備されていないので、CDをインポートするにはApppule Super Driveなどの外部CDドライブを入手する必要があります。

一見シンプルだが超多機能なメモを使いこなそう

あらゆる情報をサクッと保存してiPhoneと同期する

Macに標準搭載されている「メモ」アプリはシンプルですが非常に多機能です。iPadやiPhoneを使っていれば、iCloudを経由してメモを同期して外出先でメモ内容を確認できます。ほかのアプリとの連携性も高く、Safariで閲覧しているページ内容やマップアプリで開いている地図情報をメモに直接取り込んで保存できます。

作成したメモは、フォルダで内容ごとに分類したり、内蔵の検索機能を使って素早く保存したメモを探すことができます。

最新maOS Montereyでは「クイックメモ」が追加され、どんなときでも素早くメモを引出したり、ハッシュタグとキーワードを組み合わせてメモを検索することができるようになりました。

Mac標準メモアプリのインターフェースをチェックしよう

クイックメモ
新機能「クイックメモ」で作成したメモは、通常のメモのほかにこちらに分類表示されます。

メモ一覧
フォルダを選択するとそのフォルダ内に保存されているメモが一覧表示されます。メモを選択すると右側に内容が表示されます。メモはドラッグ&ドロップでフォルダ間を自由に移動できます。

ビューア
選択したメモ内容が表示され、メモ内容を編集することができます。右クリックメニューからテキストにさまざまな装飾をかけることができます。

フォルダ
作成したメモはフォルダを作成して分類することができます。iCloudで共有するフォルダと現在使用しているデバイス専用のメモを分類することもできます。

タグ
メモに追加したタグ一覧表示されます。タグ名をクリックするとそのタグが追加されているメモだけをフィルタリング表示してくれます。

フォルダを作ってメモを整理しよう

① 「新規フォルダ」からフォルダを作成する

フォルダを作成するには、メニューの「表示」から「フォルダを表示」を選択して、下にある「新規フォルダ」から「フォルダ」をクリックして、フォルダ名を入力します。

クリック

② 新規メモを作成してテキストを入力する

メモを作成するには新規作成ボタンをクリックします。メモが作成されるので右側のスペースにテキストを入力していきましょう。入力と同時に自動的に保存されていきます。

クリック / メモを入力する

③ 作成したメモをフォルダに分類する

作成したメモを別フォルダに整理するには、メモを直接フォルダにドラッグ&ドロップしましょう。複数のメモを選択した状態でまとめて移動もできます。

ドラッグ&ドロップ

さまざまな情報を
メモに貼り付けて保存する

　メモはテキストだけでなくあらゆる情報を貼り付けることができます。画像や動画などファイルの多くはドラッグ&ドロップで簡単に貼り付けられます。またSafariやマップなどほかのアプリで開いているコンテンツも貼り付けることができます。

1 ファイルをメモに
ドラッグ&ドロップする

メモに画像を埋め込むには、画像を直接ドラッグ&ドロップするか、埋め込みたい場所をクリックして、右クリックメニューから読み込みましょう。

2 iPhoneから
撮影して読み込む

iOS 12以降の端末を利用していれば、メモ本文を右クリックして、「iPhoneまたはiPadから読み込む」からiPhoneで撮影した写真を読み込むことができます。

3 Safariで開いている
ページをメモに貼り付ける

Safariで開いているページをメモに貼り付けたい場合は、共有ボタンをクリックして「メモ」を選択します。

4 保存先のメモを
指定する

「メモを選択」から保存先のメモを選択して、「保存」をクリックすればページを保存することができます。保存するページに対してコメントを付けることもできます。

CHECK!!

選択範囲を指定して
クイックメモに保存する

開いているページから一部のテキストやコンテンツだけメモに保存したい場合は、該当する部分を範囲選択した状態で右クリックし、クイックメモに追加を選択しましょう。

! ここが
● ポイント

ハッシュタグを
つけて整理できるようになった

　メモ本文内で「# (シャープ)」から始まるキーワードを入力するとそのメモにタグが追加されます。タグを使ってメモを探すにはフォルダ画面を開きます。メニュー下の「タグ」という項目にこれまで追加したタグが一覧表示されるので、タグ名をクリックしましょう。そのタグがついたメモを絞り込み表示してくれます。

#プライベート

「#」を入力したあと、
メモに関する
キーワードを入力する

クイックメモを使ってメモを取ろう

①

画面右下に
カーソルを当てる

クイックメモを利用するには、Macの画面右下にマウスカーソルを移動させます。するとクイックメモが少し表示されるので、クリックします。

カーソルを右下に移動する

②

クイックメモが
起動する

クイックメモが起動するので、メモしたいことを入力しましょう。作成したメモはフォルダの「クイックメモ」に保存されます。

CHECK!!

起動するたびに
新しいメモを作成するには？

　メニューの「環境設定」で「最後のクイックメモを再開」のチェックを外すと、クイックメモを起動するたびに新規メモが作成できるようになります。

iPhoneと同じように使える
メッセージ

iPhoneやiPadのメッセージをMac上で同期する

「メッセージ」アプリは、iMessageサービスを利用してMac上でチャットができるアプリです。iOSの「メッセージ」アプリと同期することができるのが特徴で、iPhoneやiPadで受信したメッセージ内容を表示できるほか、Mac上から直接メッセージを送信することもできます。なお、iPhoneを所有していてSMS／MMSを利用していれば、SMS／MMSメッセージも送信することも可能です。

メッセージの最新版では「あなたと共有」という機能が追加され、メッセージに送られてきた写真やウェブサイトのリンクを、対応するほかのアプリと自動で共有できるようになりました。過去にメッセージでやり取りしたコンテンツを探すときに役立つでしょう。

メッセージのインターフェイスをチェックしよう

会話リスト
過去にメッセージでやり取りした相手の名前が一覧表示されます。最近やり取りした相手が上から順に表示されます。

会話ウインドウ
メッセージでやり取りした内容が表示されます。上にさかのぼるほど内容が古くなります。自分のメッセージが右側、相手のメッセージは左側に表示されます。

入力ウインドウ
相手に送信するメッセージを送信する際はこの入力ウインドウをクリックし、内容を入力しましょう。

Apple IDにサインインする必要がある

メッセージを利用するには事前にApple IDでサインインしておく必要があります。Macの初期設定でApple IDを設定している場合は標準でサインインした状態になっていますが、まだサインインしていない場合は、メニューの「環境設定」→「iMessage」画面からサインインしておきましょう。

Apple IDにサインインする

メッセージでさまざまな情報を送信しよう

① 新規メッセージを作成する

ウインドウの上部にある新規メッセージのボタンをクリックし、メッセージを送信する相手の名前、メールアドレス、または電話番号を入力しましょう。候補が表示されたら候補をクリックします。

①クリック
②相手の名前、メールアドレス、または電話番号を入力する

② テキストや写真を送信する

チャットウインドウ下にある入力フォームにメッセージを入力しましょう。写真をドラッグ&ドロップで添付したり、顔文字を送信することもできます。

写真や顔文字を送信することもできる
メッセージを入力する

③ 音声録音を送信する

音声を録音したファイルを送信することもできます。入力フォーム横の音声録音のボタンをクリックして、メッセージを録音しましょう。

音声ボタンをクリックして話しかける

自分の情報やグループを
カスタマイズする

メッセージアプリの送信者プロフィールは標準だとMacに設定した名前になってしまいます。ほかの名前に変更したい場合は、メニューバーの「メッセージ」の「環境設定」から行いましょう。また、設定した名前や写真をほかの人と共有するかどうかを選択することもできます。

1 環境設定画面を
開く

メニューバーから「メッセージ」→「環境設定」の順に選択して「一般」タブを開きます。「名前と写真の共有」の設定をクリックします。

2 アイコン写真を
設定する

まずはアイコンの写真を設定しましょう。写真やミー文字から利用するアイコンをクリックするとアイコンが変化します。設定したら「完了」をクリックします。

3 名前を設定する

続いて相手の「メッセージ」アプリに表示させる名称を設定しましょう。「自動的に共有」で「連絡先のみ」に指定すると、相手の「連絡先」に自動的に名称が共有されます。

4 名前と写真を共有する

設定後、メッセージアプリに戻ると会話画面上部に「あなたの名前と写真を共有しますか?」と表示されるので「共有」をクリックしましょう。以降、相手の画面に変更した名前や写真が表示されます。

CHECK!!

相手がプロフィール変更を
承認する必要がある

名前を編集して「共有」ボタンをクリックすると、相手の会話ウインドウに「情報をアップデートしますか?」と表示されます。相手がアップデートを拒否した場合は、相手のメッセージ画面では以前のプロフィールのままになります。

！ ここが
● ポイント

新機能
「あなたと共有」とは?

メッセージで送られたURLや写真、音楽、Apple TVなどのコンテンツは、新機能の「あなたと共有」を通して自動的に保存されますが、どこに保存されているかわかりづらいです。アプリのどこに保存されているか把握しておきましょう。

「あなたと共有」が表示される場所
- ○ミュージック→「いますぐ聴く」タブ
- ○AppleTV→「今すぐ観る」タブ
- ○Safari→新規タブの「お気に入り」の下
- ○写真→「For You」タブ
- ○Podcast→「今すぐ聴く」タブ

Webページのリンクが送信されるとSafariのスタートページに表示される

---

④ ミー文字やメッセージエフェクトを
追加する

ミー文字ステッカー、GIF、メッセージエフェクト(風船、紙吹雪など)を送信するには、追加ボタンをクリックします。この機能は、macOS Big Sur以降で利用できます。

⑤ FaceTimeで通話する

メッセージアプリを使用中にFaceTimeで通話することもできます。ウインドウ右上隅にあるFaceTimeボタンをクリックし「FaceTimeオーディオ」または「FaceTimeビデオ」を選択しましょう。

CHECK!!

写真が送信できないときがある

相手または自分がSMS(おもに電話番号)だと写真を送信できないことがあります。メッセージに写真を添付して送るには、お互いにMMSまたはiMessageを利用する必要があり、Wi-Fiに接続している必要があります。また、iPhoneの「メッセージ」の設定画面の「SMS/MMS転送」設定でMacを有効にしておく必要があります。

※ミー文字……自分の表情の動きに合わせてキャラクターの動きが変わる文字で、iOS機器、Macで作成できます。

無料でHDビデオ通話と高音質通話ができるFaceTime

利用しているAppleIDと着信用メルアドを登録するだけ

FaceTimeは、Apple IDを利用して他のMacやiPad、iPhoneと無料でビデオ/音声通話が利用できるアプリです。面倒な手続きはいらず、Apple IDを登録するだけで互いのメールアドレスを電話番号のようにして、すぐに使えるのが大きなメリットです。相手がFaceTimeアプリを利用していれば電話番号で直接やり取りすることもできます。

「映像+音声」のFaceTimeか、「音声のみ」のFaceTimeオーディオの2種類の通話が利用できます。ビデオ通話はHD品質に対応し、FaceTimeオーディオはノイズのない高音質な通話が楽しめます。また、複数のMacやiOSデバイスを所有していれば、FaceTimeの着信をどの端末からでも受けることができます。

FaceTimeのインターフェイスをチェックしよう

相手のカメラ
相手のカメラに写っているものがFaceTimeウインドウに大きく表示されます。

自分のカメラ
自分が相手にどのように写っているか表示されます。

メニュー
左から「相手の情報」「音声ミュート」「終了」「ビデオのオフ」

連絡先から起動する
相手の名前を選択したら、「FaceTime」からオーディオアイコンかビデオアイコンをクリックしましょう。

スクリーンキャプチャ
クリックするとスクリーンキャプチャができます。

Apple IDを登録してビデオ&音声通話する

1 FaceTimeで利用するメールアドレスを設定する

FaceTimeを起動し、Apple IDの登録を求められたら、アカウントを入力してログインします。環境設定を開き、送受信アドレスを確認すればアドレス設定は完了です。

2 検索したいフォーム相手のアドレスを入力

検索フォームに通話したい相手のメールアドレスや氏名、電話番号を入力して、表示された「FaceTime」「FaceTimeオーディオ」クリックします。

3 FaceTimeで通話を行う

通話が始まります。「FaceTimeオーディオ」は音声のみの通話で、ビデオ通話よりも音質がクリアなのが特徴です。「ビデオ」をクリックするとビデオ通話に切り替わります。

FaceTimeの新機能を使ってみよう

macOS MontereyではFaceTimeにさまざまな新機能が追加されていますが、ここでは代表的な5つの新機能を紹介します。背景をぼかしたり、音声をオフにするなどプライベートな部分を隠す機能が追加されています。

1 ポートレート機能を使う
(※M1チップのMac対応)

ポートレイト機能を有効にすると背景をぼかすことができ、自分のプライベートな部屋を隠すことができます。FaceTimeの自分のカメラを開きポートレイトアイコンをクリックしましょう。

2 マイクのモードを切り替える

コントロールセンターからマイクモードを切り替える

FaceTime起動中にコントロールセンターを起動するとマイクモードが現れます。「声を分離」では周囲の雑音を遮断し、「ワイドスペクトル」では逆に周囲の音声も拾うようになります。

3 グループ通話の際はグリッド表示にできる

グリッド
クリック
サイドバーボタン

FaceTimeで4人以上の人とグループ通話をしているときにグリッド表示が利用できるようになります。画面の右上に表示されるグリッドをクリックしましょう。

CHECK!!

通話中にほかの人を追加するには？

FaceTimeで通話中にほかの人をその通話に参加させるには、FaceTimeメニューのサイドバーボタンをクリックし、サイドバーで追加ボタンをクリックして相手の名前やメールアドレスを入力しましょう。

4 空間オーディオを利用する
(※M1チップのMac対応)

サウンドをクリック

空間オーディオは相手の声が聞き取りやすくなる機能です。FaceTime通話中にメニューバーの「サウンド」から設定ができます。ただし、空間オーディオに対応したMacBookやAirPods（第3世代）以降のシリーズが必要になります。

! ここが ● ポイント
FaceTimeで会話しながらコンテンツを楽しむ「SharePlay」

Apple TVやApple Musicなど自分のMacで視聴しているコンテンツを相手と共有する新機能「SharePlay」機能は便利です。FaceTimeで会話しながら、お気に入りのビデオや音楽などのメディアを同時に視聴して楽しむことができます。通話中のユーザーなら誰でも、視聴中のコンテンツを一時停止、再生、スキップすることもできます。ただし、この機能は2021年11月現在ではまだリリースされていません。

FaceTimeはAndroidユーザーともビデオ通話できる

FaceTimeはこれまでAppleユーザー間同士専用の通話アプリでしたが、AndroidやWindowsなどほかのOSのユーザーともビデオ通話できます。ビデオ通話するにはFaceTimeの新機能「リンクを作成」機能を利用しましょう。「リンクを作成」で招待用のURLを作成したあと、メールなどで通話したい相手と共有しましょう。メールを受け取ったユーザーは記載されているURLをクリックすることでブラウザからFaceTimeに参加できます。

1 リンクを作成から相手を招待する

「リンクを作成」をクリック

FaceTimeアプリを起動したら「リンクを作成」をクリック。続いて相手に伝える方法を選択しましょう。

2 ブラウザ経由でFaceTimeを起動する

通話用URLが作成されるので、選択した方法で相手にURLを送信しましょう。相手がURLをタップするとブラウザが起動して、ブラウザ経由でFaceTimeが利用できます。

「マップ」で世界中のスポットを検索しよう

目的地までの電車、車徒歩での詳細経路を調べる

「マップ」アプリは世界中のスポット情報を調べるのに便利なアプリです。都市名や地名を入力するとその場所周辺の地図を素早く表示してくれます。レストラン、店舗名、企業名を入力して、施設情報を知ることもできます。

検索結果画面で表示される経路ボタンをクリックすると、現在地からその場所までの最短経路、および予想される時間と距離が表示されます。経路は複数表示されクリックすると詳細な情報が表示されます。標準では電車など交通機関を利用した経路が表示されますが、徒歩や車を使った経路に切り替えることができ、自身の移動環境に合わせた経路を知ることができます。

新しい機能では、表示スタイルに交通状況や事故情報など、車の運転に影響する情報を一目で確認できる「ドライブ」が追加されました。

「マップ」アプリのインタフェースを把握しよう

サイドバー
サイドバーをクリックすると表示されます。検索ボックス、Siriからの提案、検索履歴、よく使う項目などを一覧表示できます。

現在位置情報を表示する

マップの表示スタイル
地図の表示方法は車道経路を表示する「マップ」、電車の経路を表示する「交通機関」、航空衛星写真で表示する「航空写真」運転時に役立つ交通情報を表示する「ドライブ」の4種類が用意されています。

経路検索
クリックすると経路検索画面が表示されます。「出発」と「目的」に地名を入力すると経路情報が複数表示されます。クリックすると地図上に経路が表示されます。

3D
クリックすると地図が少し斜めに傾き、建物を立体的に表示できます。

Look Around
指定した付近の写真を表示できます。写真をクリックすると双眼鏡の向いている方向に進んで写真を切り替えてくれます。

よく使う項目に検索した場所を追加する

① 検索ボックスに場所の名前を入力する

サイドバーを表示して検索ボックスに検索したい場所、店舗名、企業名などを入力します。候補が表示されるので適当なものを選択します。

場所、店舗名、企業名などを入力する

② 「よく使う項目」に追加する

よく使う項目に追加するには、追加したい地点をクリックして情報画面を表示させます。「よく使う項目に追加」をクリックします。よく使う項目を呼び出すには、サイドバーを表示させましょう。

「よく使う項目に追加」をクリック

CHECK!!

M1チップのMac限定3D地球儀の機能

M1チップのMacでは、マップをズームアウトするとGoogle Earthのような3D地球儀を表示する機能が搭載されています。

iPhoneやiPadをMacと上手く使う

Mac LIFE WITH iOS

言うまでもないことかもしれませんが、iPhone、iPadとMacはとっても相性が良く、一緒に使えばさらに日々の生活を充実させることができるでしょう。家ではMac、外ではiPhoneを使えば、快適な同じ環境でさまざまな機能を利用できます。

Macの音楽や写真をiPhoneと同期する

Finderを使って同期をしよう

MacはiPhoneやiPadといったiOSデバイスと同期性が高いのが特徴です。すでにiOSデバイスを所有しているなら、Macと同期してみましょう。これまで同期するにはiTunesを利用していましたが、現在はFinderを使って同期します。なお、iTunesはミュージックという名前に変更されています。同期できるコンテンツは、音楽、動画、写真、ポッドキャスト、写真、着信音、ブックなど多様です。同期するには、事前にミュージックやApple TVなどMac標準アプリに同期したいコンテンツを登録し、MacとiOSデバイスをLightningケーブルで接続します。

ほかにiCloudを通じてインターネット経由で同期する方法がありますが、iTunesとiCloudでは同期できる内容に大きな異なりが生じます。

MacとiPhone/iPadを同期する方法を理解しよう

Finderを使って同期する

MacとiPhone/iPadをLightningケーブルで接続し、Finderを通じて同期する方法です。同期できるコンテンツはおもにMac標準アプリに登録したコンテンツです。

iCloudを使って同期する

Appleのクラウドサービス「iCloud」を通じてインターネット経由で同期します。同期するにはMacとiPhone/iPadで同じApple IDでログインする必要があります。

Finderで同期できるコンテンツ

- ●ミュージックアプリ内のコンテンツ
- ●Apple TVアプリ内のコンテンツ
- ●写真アプリのコンテンツ
- ●ポッドキャストアプリで購読しているコンテンツ
- ●ブックアプリ内のコンテンツ

iCloudで同期できるコンテンツ

- ●Safariのお気に入り、メール、カレンダー、連絡先、リマインダー、写真（フォトストリーム、iCloud写真）、iCloudキーチェーン、iCloud Drive内のコンテンツ。

同期とは？

iOS機器とMacの間で、同じファイルを最新の状態に保つことです。違うデバイスを使っても同じファイルを楽しむことができます。

Mac上にあるコンテンツをiPhoneと同期してみよう

① アプリにコンテンツを登録する

iOSデバイスと同期するには事前にMacアプリに同期するコンテンツを登録します。ここではミュージックのライブラリに音楽ファイルを登録します。

ミュージックに楽曲を登録しておく

② Finderを起動してiOSデバイスを選択する

MacとiOSデバイスをLightningケーブルで接続したあとFinderを起動します。サイドバーの「場所」の項目にiPhoneの名称が表示されるのでクリックします。

クリック

③ 「ミュージック」タブを開き同期する

ミュージックに登録した楽曲を同期するにはメニューから「ミュージック」を選択します。「ミュージックをiPhoneと同期」にチェックを入れて「適用」をクリックすると同期されます。

「ミュージック」をクリック

ミュージック

「ミュージックをiPhoneと同期」にチェックを入れる

「適用」をクリック

iPhoneと連携して
外出先でコンテンツを楽しむ

　Macから転送したiPhoneやiPadでの各種ファイルの保存場所を覚えておきましょう。音楽ファイルは「ミュージック」アプリの「プレイリスト」にあります。動画ファイルの場合は「Apple TV」アプリに保存されています。写真ファイルは「写真」に保存されています。

1
同期した音楽ファイルを
iOSデバイスで再生する

「プレイリスト」をクリック

同期した音楽ファイルを再生するには、ミュージックアプリを起動し、「プレイリスト」などをタップすると同期したコンテンツが表示されます。

CHECK!!

iCloud経由で
音楽ファイルを視聴する

　iTunes Storeで購入したことのある楽曲を視聴するなら、ミュージックよりもiCloudから対象楽曲をダウンロードするのもおすすめです。iCloud経由であればケーブルを使って手動で同期する手間が大幅に省けます。

2
同期した動画ファイルを
視聴する

「Apple TV」アプリで視聴

Finder経由で同期した動画は「Apple TV」アプリに保存されており、また視聴することができます。

3
同期した写真を
閲覧する

② 「Macから」というアルバムをチェック

① 「アルバム」を選択

Finderから転送した写真フォルダは「写真」アプリに保存されています。写真アプリを起動したら「アルバム」をタップしましょう。「Macから」というアルバムがあります。

4
ポッドキャストを
視聴する

Macのポッドキャストアプリで購読している番組を同期して「Podcast」アプリを起動しましょう。ミュージックライブラリにはありません。

！ ここが
● ポイント

Macから直接iPhoneの
カメラにアクセスする

　近くのiPhoneやiPadで撮影した写真を瞬時にMacにインポートして表示させることができます。AirDropよりも素早くファイル転送ができる上、直接「メモ」アプリや「メール」アプリなどの作成画面に貼り付けることができます。名刺や書類を撮影してMacに取り込みたいときに役立つでしょう。

「ファイル」→「iPhoneまたはiPadから挿入」を選択する

CHECK!!

音楽が
同期できない場合は

Finderの「ミュージック」タブを開いても同期できない場合は、iPhoneの「iCloudミュージックライブラリ」をオフにしましょう。「設定」アプリの「ミュージック」からオフにできます。

④
「映画」タブを開き
動画を同期する

Apple TVに登録した動画を同期するにはメニューから「映画」を選択します。「映画をiPhoneと同期」にチェックを入れて「適用」をクリックすると同期されます。

「映画」をクリック

⑤
「写真」タブを開き
写真を同期する

写真アプリに登録した写真を同期するにはメニューから「写真」を選択します。「写真をiPhoneと同期」にチェックを入れて「適用」をクリックすると同期されます。

「写真」をクリック

iPhoneで撮影した写真を iCloud経由で同期する

iCloud写真で Macへ簡単に転送する

iPhone/iPadで撮影した写真をMacに転送するには、Lightningケーブルで直接転送するほかに、iCloudを利用してインターネット経由でMacに転送する方法があります。iCloud経由で同期するにはMacとiPhone/iPadの両方で「iCloud写真」を有効にしましょう。カメラ撮影して「写真」アプリに保存されている写真が自動的にiCloudにアップロードされ、Macの「写真」アプリにプレビュー表示されるようになります。Mac側でプレビュー表示された写真をクリックするとダウンロードして開いたり、レタッチすることができるようになります。なお、Macの「写真」アプリに登録されている写真もiCloudにアップロードされます。アップしたファイルのサイズだけiCloudのストレージ容量を消費するので注意しましょう。

MacとiPhone/iPadの写真を 同期する方法を理解しよう

Finderを使って同期する

カメラ撮影した写真をアップロード

iCloud写真

「写真」アプリに登録した画像をアップロード

iCloud写真から写真をダウンロード

iCloud写真から写真をダウンロード

iPhone iPad

Mac

Appleのクラウドサービス「iCloud」を通じてインターネット経由で同期します。同期するにはMacとiPhone/iPadで同じApple IDでログインする必要があります。

ストレージ容量	標準では5GBで、追加購入が可能
保存期間	無制限
保存枚数	契約しているストレージ容量内
iCloud.comでの閲覧	可能
Apple Watchでの閲覧	任意のアルバムのみ閲覧可能
アルバム名の同期	可能
写真の編集	互いのデバイスで同期される

iCloud写真でMacとiPhone/iPadの写真を同期しよう

① iPhone/iPad側で 設定を有効にする

有効にする

チェックを入れる

iPhone/iPad側で設定を行います。「設定」アプリの「写真」を開き、「iCloud写真」を有効にします。また「iPhoneのストレージを最適化」にチェックを入れておきましょう。なおiCloud写真を有効にするとMacから手動で同期した写真は削除されます。

② Mac側で 設定を有効にする

Macの「システム環境設定」を開き、「Apple ID」を開きます。「写真」にチェックを入れます。

チェックを入れる

③ iCloud写真 設定を有効にする

「写真」アプリを起動し、メニューの「写真」→「環境設定」→「iCloud」と進みます。「iCloud写真」にチェックを入れましょう。

チェックを入れる

共有アルバムを使えば
ストレージを消費しない

iCloud写真は便利ですが、有効にすると最適化設定をしてもストレージ容量を大幅に消費します。そこで「共有アルバム」を利用しましょう。「共有アルバム」に写真を保存すれば、iCloudストレージ容量を消費することなく最大50万枚※の写真を保存できます。

1 「共有アルバム」を有効にする

有効にする

iPhone/iPadの「設定」から「写真」を開き、「共有アルバム」を有効にしましょう。

2 Mac側も設定を有効にする

チェックを入れる

Mac側でも共有アルバムは利用できます。「写真」アプリのメニューの「写真」→「環境設定」を開き、「共有アルバム」にチェックを入れます。

3 共有アルバムを作成する

②「+」をタップしてアルバムを作成する

①「アルバム」を選択

iPhone/iPadの「写真」アプリを開き、「アルバム」タブを開きます。左上の「+」をタップして「新規共有アルバム」を作成しましょう。

4 共有アルバムを作成する

「+」をタップして写真を追加

共有アルバムを作成したら開いて、「+」から共有したい写真を追加していきましょう。このアルバムに保存された写真はiCloudストレージを消費しません。

5 Mac側の「写真」で共有アルバムにアクセス

Macの「写真」を起動してみましょう。サイドバーの「共有」に作成した共有アルバムが追加されており、クリックするとアルバムに保存した写真を閲覧できます。

! ここが ● ポイント

写真共有の容量を確認する

iCloud写真共有を有効にするとiCloudのストレージが消費されますが、現在どの程度消費しているか知りたい場合は、システム環境設定の「Apple ID」を開き、「管理」から「iCloud写真」で使用している容量を確認できます。また管理画面右上にある「ストレージプランを変更」でストレージプランを変更して、容量を追加することができます。

4 Macの「写真」アプリを起動してiPhoneの写真を確認

Macの「写真」アプリを起動してみましょう。するとサイドバーにiPhone/iPadのアルバム名が表示され、クリックすると写真が一覧表示されます。

5 iPhone/iPadの「写真」アプリを起動してMacの写真を確認

逆にiPhone/iPadの「写真」を起動して、「アルバム」を開きます。するとMacの「写真」アプリで作成したアルバム名が現れ、タップするとファイルを閲覧できます。

CHECK!!

Macのストレージ容量を節約して写真をダウンロードする

Macの「写真」アプリの環境設定で、Macにオリジナルサイズの写真をダウンロードするか、最適化されたサイズをダウンロードするか設定変更ができます。標準設定ではオリジナル画質になっているので容量が気になる人は設定を変更しましょう。

※最大50万枚……iCloudの共有アルバムでは、1アルバムにつき5,000枚の写真を保存でき、アルバムを100個まで作成できる。

Appleシリコンチップ搭載Macなら iPhoneやiPadのアプリも使える

App Storeから iPhoneアプリをダウンロードする

　2020年11月以降に発売された Appleシリコンチップ（M1チップ）が搭載されているMacユーザーであり、最新macOSがインストールされていれば、Mac App StoreからiPhoneやiPadのアプリをダウンロードすることができます。アプリ名横に「iPhone対応」や「iPad対応」というバッジが記載されています。また、検索結果の上にある「iPhoneおよびiPad App」の切り替えボタンをクリックして、検索して探すこともできます。

　ただし、すべてのアプリが正常に動作するわけではありません。また、ダウンロードできないアプリもあります。ゲームや電子書籍、ニュース、ショッピングなど簡単なクリック操作ができるものは問題ないですが、Netflixのような動画アプリは対応していないことが多いです。Mac上でも使いたいと思っているiPhoneアプリがあれば、検索してダウンロードしてみましょう。

Appleシリコンチップ（M1チップ）を 搭載しているかどうか調べる

「このMacについて」から調べる

チップ　Apple M1

利用しているMacがAppleシリコンチップを搭載しているかどうか調べるにはAppleメニューから「このMacについて」開きましょう。チップ名に「Apple M〜」と記載されていれば搭載されています。

検索結果から調べる

"ボイスレコーダー"の検索結果

iPhoneおよびiPad App

Mac App Storeの検索結果画面上部に「iPhoneおよびiPad App」という項目があれば、M1チップ搭載Macです。

iPhoneやiPadのアプリをダウンロードしてみよう

① アプリを検索して ダウンロードする

Mac App Storeでアプリ名を検索したら、「iPhoneおよびiPad App」をクリックして、目的のアプリを探してダウンロードしましょう。

"tokyo art"の検索結果

「iPhoneおよびiPad App」をクリック

ダウンロード

② 購入履歴からダウンロード

目的のアプリが見つかりづらい場合はiPhoneやiPadでのアプリ購入履歴から探すといいでしょう。アカウント名をクリックし、「iPhoneおよびiPad App」をクリックします。

②「iPhoneおよびiPad App」をクリック

①アカウント名をクリック

③ アプリを起動する

ダウンロードしたら、アプリケーションフォルダにアイコンが追加されるのでクリックして起動しましょう。iPhoneやiPadサイズのアプリが起動します。

アプリの表示サイズは 大きくならない場合が多い

iPhoneアプリが対応しているかチェックする

iMobie M1 App Checker を利用しよう

iMobie M1 App Checkerは、MacおよびiOSデバイス上にあるアプリが、M1チップ搭載のMac上で動作するかチェックしてくれるサービスです。iMobie M1 App Checkerの公式サイトから無料で利用することができます。

1 iMobie M1 App Checkerにアクセスする

iMobie M1 App Checkerを利用するには公式サイトにアクセスして「iPhone Appをチェック」をクリックします。https://www.imobie.jp/m1-app-checker/

2 動作可能なアプリを探す

iPhoneのアプリが一覧表示されます。「動作可能か」の項目で「問題なし!」の緑アイコンが付いていればダウンロードして利用することができます。

3 特定のアプリが動作可能かチェックする

特定のアプリが対応しているかどうか知りたい場合は左上の検索アイコンをクリックしてアプリ名を入力しましょう。

4 iPhoneアプリをダウンロードする

対応しているアプリをダウンロードしたい場合は、「ダウンロード」ボタンをクリックします。

5 Mac App Storeが起動する

Mac App Storeが起動してiPhoneアプリのダウンロードページが表示されます。ダウンロードボタンをクリックしてアプリをダウンロードしましょう。

! ここが ● ポイント

アプリ版をダウンロードして iPhoneアプリの ipaファイルを入手する

iMobie M1 App Checkerのアプリ版は、iPhoneアプリの動作検証をチェックするだけなく、iPhoneアプリのipaファイル（実行ファイル）を直接ダウンロードできます。動作検証に問題ないもののMac App StoreからダウンロードできないiOSアプリがあるときに利用するといいでしょう。アプリは公式サイトからダウンロードできます。

起動したら左メニューの「iPhone App」からアプリをダウンロード

---

④ キーボードで アカウントを入力する

アカウントやパスワードの入力が必要なアプリはMacのキーボードで入力しましょう。ただし、うまく入力できないアプリもあります。

キーボードで入力する

⑤ 通知にも対応している

通知機能のあるアプリにも対応しています。通知があった場合は、通知センターに通知を表示してくれます。Macアプリ同様、システム環境設定の「通知」から通知設定を変更できます。

⑥ アプリケーションの削除

アプリケーションを削除したい場合は、アプリケーションフォルダを開き、アイコンをゴミ箱にドラッグしましょう。

ゴミ箱にドラッグして削除する

iPadをMacの外部ディスプレイにできる「サイドカー」

外部ディスプレイとして活用しよう

iPadを所有しているMacユーザーなら、macOS「Catalina」から追加された新機能「サイドカー」を使ってみましょう。

サイドカーはiPadを外部ディスプレイとして利用できるようにしてくれる機能です。MacとiPadをUSBケーブルで接続するだけで簡単にiPadをMac用ディスプレイとして使えるようにできます。なお、BluetoothとWi-Fiをオンにすればワイヤレスでも利用できます。

サイドカーはMacの「システム環境設定」画面にある「ディスプレイ」から利用できます。Macと接続しているiPadを選択すると、iPadの画面がMacの画面に自動的に切り替わります。

また、サイドカー独自のメニューも用意されています。画面端に「サイドバー」や「タッチバー」が表示され、これを使えばMacのマウスやキーボードを使わなくても、iPadの画面に直接指でタッチしてさまざまな操作が行えます。

サイドカーのメニューを把握しよう

① アプリを最大表示にしているときにメニューバーを引き出す/隠す
② 画面下部からDockを引き出す/隠す
③ commandキー
④ optionキー
⑤ controlキー
⑥ shiftキー
⑦ 1つ前の操作に戻る
⑧ キーボードを表示/非表示
⑨ 接続の解除
⑩ タッチバー
⑪ Airplayアイコンをクリックして表示されるメニューからでもサイドカーの接続や設定ができる

サイドカー対応のiPadの機種

- iPad Pro（全モデル）
- iPad（第6世代）以降
- iPad mini（第5世代）以降
- iPad Air（第3世代）以降

サイドカー対応Macの機種

- MacBook Pro（2016年以降に発売されたモデル）
- MacBook（2016年以降に発売されたモデル）
- MacBook Air（2018年以降に発売されたモデル）
- iMac（2017年以降に発売されたモデル）またはiMac（Retina 5K、27-inch、Late 2015）
- iMac Pro
- Mac mini（2018年以降に発売されたモデル）
- Mac Pro（2019年以降に発売されたモデル）

サイドカーを起動してMacの外部ディスプレイにしてみよう

① システム環境設定から「ディスプレイ」をクリック

Macのシステム環境設定を開き「ディスプレイ」をクリック。なお、すべてのMacに対応しておらず古いMacでは利用できないこともあります。（上部記事参照）

「ディスプレイ」をクリック

② 接続するiPadを選択する

ディスプレイ設定画面が表示されたら「接続先」をクリックしてサイドカーとして利用するiPadを選択しましょう。

接続するiPadを指定する

CHECK!!

Apple Pencilユーザーならダブルタップを有効にしよう

Apple Pencilを利用しているiPadユーザーであれば、設定画面の「Apple Pencilでダブルタップを有効にする」にチェックを入れましょう。Apple Pencilを使ってiPadに表示されたMacを直接操作できるようになります。

Apple Pencilならサイドカーで
表示されたMacを直接操作できる

液晶タブレットとして
利用することも可能に

　Apple Pencilを使えばマウスと同じようにiPadに表示されたMacを操作できます。つまり、液晶タブレットとしてiPadを活用することも可能となり、Macのグラフィックアプリをi Padで使うことができるのです。

1 写真を
マークアップしてみよう

ここではMacのプレビューやクイックルックに搭載されているマークアップを使ってみます。写真を選択したら下のタッチバーからクイックルックボタンをタップします。

2 クイックルックで写真が
起動する

クイックルックで写真が起動します。上部メニューから「マークアップ」をタップします。

3 マークアップで注釈を
入力する

マークアップツールバーが表示されます。利用するツールボタンをタップして、Apple Pencilで手書きで注釈を入力しましょう。

4 iPadの画面に
切り替える

接続解除せずiPadに切り替えたい場合は、画面下から上にスワイプするとホーム画面が表示されます。Dockのサイドカーアイコンをタップすると元に戻ります。

CHECK!!

指タッチではサイドカーで
表示されたMacを操作できない

　サイドカーでMacのデスクトップを表示している際、指で画面上にあるファイルやメニューをタッチしても反応しません。現在はApple Pencilのみタッチ操作に対応しています。指で操作できる箇所は、サイドバーとタッチバーのみです。

！ここが
● ポイント

タッチバーを使って
Macを操作する

サイドカーでMac標準アプリを起動すると、iPad画面下に「タッチバー」が表示されます。これは一部のMacBookに搭載されているタッチバーと似たもので、マウスを使わず指でMacを操作をしたいときに便利です。

---

③ iPadがMacの
画面に切り替わる

iPadの画面がMacの画面に切り替わります。標準ではMacのデスクトップの右側に位置する状態になっており、Macのマウスカーソルを右へ移動するとiPadにマウスカーソルが表示されます。

iPad上のサイドバー、Touch Barの表示/非表示は、システム環境設定の「Sidecar」パネルで設定できる

④ Dockを引出して
アプリを起動する

標準ではDockが表示されていません。サイドバーからDock引出しボタンをApple Pencilでクリックします。Dockが表示されるので起動したいアプリをクリックしましょう。

クリックするとDockが表示される

アイコンをクリックするとアプリが起動する

⑤ サイドカーを解除する

サイドカーを解除するには、左端にある解除ボタンをクリックして「接続解除」をクリックしましょう。

「接続解除」をクリック

メッセージでSMS/MMSをiPhoneと同期する

転送する設定にすれば iMessage以外も取得！

Macでは、iMessage（青色で表示される）はデフォルトの設定で受信できますが、SMS/MMSを転送する設定にするとiPhoneと完璧に同じ状態で受信できてとても便利です。キャリアメールをメッセージアプリで受信している人には特に便利です。

1 メッセージの設定で SMS/MMS転送を……

iPhone側で「設定」→「メッセージ」→「SMS/MMS転送」と進み、メッセージを転送したいMacをオンにします。するとすぐにコードを入力するポップアップが表示されます。

2 Macに表示されている コードを入力すればOK

Macのメッセージアプリに表示されているコードを入力し、iPhone側で「許可」をタップすれば設定完了です。これで緑色のメッセージも受信可能です。

iPhoneにかかってきた電話をMacでとる

Macから手を離さず 電話にも対応できる！

Macでは、同一のWi-FiネットワークにあるiPhoneに着信があった場合、Macで応答することができます。発信することも可能で、FaceTimeアプリの連絡先から「iPhoneで通話」欄にある電話番号をタップすればOKです。

1 「iPhoneから通話」に チェックを入れればOK

設定は非常に簡単で、同じApple IDでFaceTime着信用のアドレスが設定された状態なら、FaceTimeアプリの「環境設定」で「iPhoneから通話」にチェックを入れればOK。

2 電話が来たら「応答」を クリックしよう

iPhoneに着信があると、すぐにMacの右上にも通知が出るので、「応答」をクリックして通話しましょう。右下の「∨」からテキストメッセージを送ることもできます。

MacとiPhoneのブックマークを同期する

iCloudの機能で 簡単に同期できる！

MacとiPhoneのSafari上の「ブックマーク」、「お気に入り」、「よく閲覧するサイト」も同期することができます。同じApple IDが設定されているMacとiPhoneならば、iCloudのSafariの設定をオンにしておけばそれだけで同期されます。

1 Mac側は「システム 環境設定」をチェック

まずMac側では「システム環境設定」→「Apple ID」でSafariにチェックが入っていることを確認しましょう。

2 iPhone側は「設定」の 「Apple ID～」を確認

iPhone側では、「設定」→「Apple ID、iCloud、iTunes～」と記されている自分の名前の部分をタップします。そして「iCloud」に進み、Safariにチェックを入れましょう。

MacとiPhoneでクリップボードも共有できる

便利な「ユニバーサルクリップボード」機能！

MacとiPhoneでクリップボードを共有できる機能で、テキスト以外に画像もコピペ可能なのがポイントです。両デバイスが「同じApple ID」、「Bluetoothがオン」「Wi-Fiがオン」「Handoffがオン」の条件で可能になります。

1 iPhone側で設定する

Wi-FiとBluetoothの確認はコントロールセンターですぐ確認できます。「Handoff」は「設定」→「一般」→「Handoff」で確認できるので設定しておきましょう。

2 Mac側でも設定する

チェックを入れる

Wi-FiとBluetoothをツールバーで確認し、あとは「システム環境設定」→「一般」で「〜でのHandoffを許可」にチェックが入っているか確認しましょう。

日々増え続けるパスワードはiPhoneとMacで同期する

iCloudキーチェーンを設定しよう

ネットのアカウントや、サイトのパスワードなど、増え続けるパスワードは「iCloudキーチェーン」を使って一元的に管理できます。デフォルトでオンになっている場合が多いですが、もしオフになっていたら便利なのでぜひ設定しましょう。Macのログインパスワードを入力し、そのあとiPhoneから承認する必要があります。

保存されたパスワードを確認したい場合は、Safariの「環境設定」→「パスワード」でMacのログインパスワードを入れることで確認できます。ほかのブラウザでサイトを見る際などに利用しましょう。なお、ここではセキュリティ的に危険なパスワードを教えてくれる機能もあります。

「システム環境設定」→「Apple ID」を表示させる

オンになっているか確認

「システム環境設定」→「Apple ID」と進み、「キーチェーン」がオンになっているかを確認しましょう。なっていない場合はクリックして指示に従い、設定していきます。

1 Safariの環境設定を開く

Touch IDを使用するか、パスワードを入力する

キーチェーンに保存されたパスワードを見るには、Safariの環境設定を開き、「パスワード」のタブでMacのログインパスワードを入力しましょう。

2 保存されたデータが表示される

ここをクリックするとパスワードを見ることができる

見たいサイトをクリックする

Webサイトのパスワードを変更

パスワードの変更はここからできる

対象URL、ユーザー名、パスワードなど、キーチェーンの保存データが表示されます。使いまわしているパスワードや漏洩の危険性がある場合は、そう表示されます。

3 「編集」ボタンをクリックすればOK

パスワードが表示される

「編集」ボタンをクリックすることで、そのサイトのパスワードを確認できます。パスワードの危険性が表示されたら、なるべく早くパスワードを変更しましょう。

Ｍａｃ関連用語集

Macを操作する上で、意味のわからない言葉、気になる言葉があった場合はここで理解しておきましょう。

4K【ふぉーけい】
ディスプレイ解像度のひとつ。横4000、縦2000ピクセル程度のディスプレイを4Kと呼びます。現在では外部ディスプレイの標準的なサイズとなっています。

5K【ふぁいぶけい】
ディスプレイ解像度のひとつ。横5000、縦2500ピクセル程度のディスプレイが5Kと呼ばれます。4Kビデオを編集する用途として、パソコン用ディスプレイで採用され始めています。

Apple ID【あっぷるあいでぃー】
iTunesやMac AppStore、iCloudなど、アップルのオンラインサービスを利用するために必要なアカウント。通常は登録したメールアドレスがApple IDとなります。

Apple Books【あっぷるぶっくす】
アップルの電子書籍ストアで書籍を購入して読むことができるアプリ。MacとiOSで履歴やブックマークを同期することもできます。アプリ名は「ブック」となっています。

AppleCare+【あっぷるけあぷらす】
アップル製品の延長保証サービス。通常1年のハードウェア保証と90日間の無料電話サポートが3年間に延長されます。製品購入から30日間以内に加入する必要があります。

Apple Pay【あっぷるぺい】
アップルが提供する電子決済サービス。Macで利用するにはTouch IDを搭載した機種とmacOS Sierra以上が必要です。Apple Pay対応のクレジットカードをwalletに登録すれば、対応のネットショップで簡単決済ができます。

Apple Store【あっぷるすとあ】
アップルの直営ショップ。店舗とオンラインストアがあります。製品の購入ができるほか、世界中の主要都市にある店舗では「Genius Bar」での各種サポート（修理や設定方法など）が受けられたり、さまざまなイベントが開催されています。

Apple TV【あっぷるてぃーびー】
テレビに接続して映像や音楽、ゲームなどが楽しめる製品。Hulu、Netflix、AbemaTVなどの人気コンテンツはもちろん、Apple Musicにも対応しています。

Apple TV+【あっぷるてぃーびーぷらす】
Apple TVの機能の1つで、月額600円のサブスクリプション形式でAppleオリジナルの映画、ドラマなどが見放題になります。iPhoneやiPadなどの新製品を購入すると1年間無料で楽しめます。

Apple Watch【あっぷるうぉっち】
アップルが販売しているスマートウォッチ。iPhoneと連携して通知を受けたり、ヘルスケアなどさまざまなアプリが利用できます。またApple Watchを使用してMacのロックを解除することもできます。

App Store【あっぷすとあ】
アプリケーションを購入・インストールできるサービス。購入したアプリのアップデートも管理できます。

AirDrop【えあどろっぷ】
MacやiOSデバイス同士で簡単にデータのやり取りが行える機能です。

AirPlay【えあぷれい】
音楽をワイヤレスで送信するアップルの独自規格。対応するスピーカーやオーディオ機器を用意すれば、MacやiOSの対応アプリ（iTunesなど）で再生した音楽を高音質で楽しめます。

Bluetooth【ぶるーとぅーす】
ワイヤレスで周辺機器やMac、iOS機器同士を接続するための規格。キーボードやマウス、スピーカーなどさまざまな機器を簡単に無線接続できます。

Boot Camp【ぶーときゃんぷ】
Mac上でWindowsを動作させることができるmacOS標準の機能。Macのストレージ領域を分割してWindowsをインストールします。OSの切り替えには再起動が必要です。

CPU【しーぴーゆー】
パソコンの頭脳にあたるパーツ。一般的には、コア数が多いほど同時に起動した処理が高速に実行され、クロック周波数が大きいほど1コアあたりの処理能力が高くなります。

Dock【どっく】
画面下部にあり、現在起動しているアプリや開いているフォルダを表示して素早くアクセスできる機能。よく使うアプリやフォルダを登録しておくこともできます。表示位置やサイズは細かく設定できます。

Dropbox【どろっぷぼっくす】
Mac上のDropboxフォルダをクラウドと同期できる定番のクラウドストレージサービス。無料で2GBの容量が利用できます。

Ethernet【いーさねっと】
LAN（ローカルエリアネットワーク）の標準規格。モデムやルータからLANケーブルを使用してコンピュータをインターネットに接続します。

Exposé【えくすぽぜ】
いま開いているウィンドウを見やすく並べて表示し、切り替えることができるMission Controlの機能です。

FaceTime【ふぇいすたいむ】
MacやiOSデバイス同士で使える無料通話アプリ。ビデオ通話のほか、音声のみの「FaceTi

困ったときは Appleのサポートにアクセスしよう!

Macにトラブルが発生した場合はAppleのサポートサイトにアクセスしましょう。Macの機種別、トラブルのカテゴリ別に多くの解決方法が掲載されています。該当するトピックや近い質問例がない場合は、Appleにチャット、または電話でのサポートを受けることができます。
「起動しない」「フリーズしたまま動かない」などの状況ではなく、Macが起動している状態でネットに接続されている場合は、Appleのサポートの方からリモート接続してのサポートを受けることができ、これが非常に便利です。この場合は、自分のMacのシリアル番号が必要となります。シリアル番号の確認方法はサポートサイトに詳しく掲載されていますので安心です。

ディオ」も利用できます。利用にはAp
の登録が必要です。

◉ Finder【ふぁいんだー】
ファイルの管理やアプリの起動を行う、
macOSの最も基本的な機能のひとつです。

◉ Fnキー【えふえぬきー】
MacBookのファンクションキーは、デフォルト
では画面の明るさや音量を調節するキーにな
っていますが、Fnキーと同時に押すことで、フ
ァンクションキーとして使用できます。設定で
挙動を逆にすることも可能です。

◉ GameCenter【げーむせんたー】
ゲームのスコアを競ったり、オンライン対戦が
楽しめるサービス。対応するゲームアプリを使
えば、iOSユーザーとも対戦できます。

◉ Googleドライブ【ぐーぐるどらいぶ】
Googleが提供するクラウドストレージ。Gmail
と容量を共用できるのが特徴で、Googleドキ
ュメントやGmailとの連携機能も利用できま
す。

◉ GPU【じーぴーゆー】
パソコンのグラフィック処理を担当するチップ
のこと。CPUに統合されているものと、個別に
搭載されているものがあり、一般的には専用メ
モリを搭載する後者のタイプの方が性能が高
くなります。

◉ Handoff【はんどおふ】
MacとiOSデバイス、Apple Watchを連携さ
せる機能のひとつ。SafariやiWorkなど対応ア
プリで、中断した作業を他のデバイスで続行す
ることができます。使用するにはBluetoothが
Handoffに対応していることと、デバイスでHa
ndoffを有効にする必要があります。

◉ HDMI【えいちでぃーえむあい】
現在最も普及しているデジタルビデオ伝送規
格。ケーブル一本で、映像と音声を出力するこ
とができます。

◉ iCloud【あいくらうど】
アップルが提供するクラウドサービス。Apple
IDを取得すると無料で5GBの容量が利用で
き、有料プランも用意されています。同じIDで
ログインすることで、複数のアップル製端末で
個人データやファイルを同期することができま
す。

◉ iCloudキーチェーン【あいくらうどきーち ぇーん】
iCloudで同期できるデータのひとつ。ログイ
ンIDやパスワード、クレジットカード情報などを
登録し、同期された全てのデバイスで自動入
力できます。

◉ iCloud写真【あいくらうどしゃしん】
iOSデバイスやMacで撮影した写真やビデオ
をiCloudにアップロードして、どの端末からで
も同じライブラリへアクセスできる機能。ライ
ブラリを編集すれば、すぐに全ての端末に結果
が反映されます。

◉ iMac【あいまっく】
ディスプレイ一体型のデスクトップMac。現在
では24インチと27インチの2機種がラインナ
ップされています。

◉ iMovie【あいむーびー】
アップルが提供するビデオ編集アプリ。ビギナ
ーでも簡単に映像作品を作成できます。App
Storeから無料でダウンロード可能です。

◉ iOS【あいおーえす】
iPhone、iPad、iPod touchで採用されている
OS（基本ソフト）の名称です。

◉ iPad【あいぱっど】
アップルのタブレット端末シリーズ。iPad、
iPad Air、iPad mini、iPad Proなどのライン
ナップが用意されています。

◉ iPhone【あいふぉーん】
アップルのスマートフォン。2007年に登場以
来、全世界で人気を集めています。

◉ IPアドレス【あいぴーあどれす】
ネットワークに接続しているすべての機器に割
り振られるアドレス。4つもしくは6つの数字で
構成されています。インターネット上の住所で
ある「グローバルIPアドレス」と、LAN内の住
所である「プライベートIPアドレス」の2種類に
大別されます。

◉ iTunes【あいちゅーんず】
音楽やPodcast、ビデオなどを管理するアプ
リ。iOS機器を接続して様々な機能が利用でき
ます。macOS Catalina以降はその機能の多
くが「ミュージック」アプリに移行しました。

◉ iWork【あいわーく】
アップルが開発・提供するオフィス系アプリシ
リーズ。ワープロ「Pages」、スプレッドシート
「Numbers」、プレゼンテーション「Keynote」
の3アプリで構成され、無料でダウンロードで
きます。iOS版もあり、iCloudを経由して書類
を同期したり、共同作業もできます。

◉ JPEG【じぇいぺぐ】
画像の圧縮技術のひとつ。不可逆形式なので、
写真など自然なトーンの画像圧縮に向いてい
ます。圧縮率が高いほどファイルサイズが小さ
くなりますが、画質は劣化します。

◉ Keynote【きーのーと】
アップルが提供するプレゼンテーションアプ
リ。さまざまな素材を組み合わせて、効果的な
スライドを簡単に作成できます。またアップル
発表会での基調講演のことを指すこともあり
ます。

◉ Mac App Store【まっくあっぷすとあ】
Mac用アプリを購入してインストールできるア
プリ。購入済みアプリのアップデートの他、
macOSのアップデートや新OSへのアップグ
レードもこのアプリから行えます。起動できる
アプリをストア経由のみに制限することも可能
です。

◉ Mac mini【まっくみに】
Macのデスクトップ機シリーズ。コンパクトな
外観と価格の安さが魅力。別途ディスプレイ、
マウス、キーボードが必要です。

Appleサポート
https://support.apple.com/ja-jp
ここから製品名で「Mac」を選び、困ったこ
とのカテゴリを進んでいきましょう。

よくあるトラブルの解決例の他、トピックを
検索することができるので、「Safari Gmail
添付ファイル」などのように細かく検索キー
ワードを入力して解決例を探しましょう。

解決例が探し出せなかった場合は、電話か
チャットでオペレーターと話すことが可能で
す。日時を指定して電話をもらうこともでき
ます。

◉ **Mac Pro【まっくぷろ】**
Macの上級モデル。最大28コアのZeon WプロセッサとデュアルGPUを搭載。高度な演算処理やグラフィック処理が必要なプロフェッショナルな現場に支持されています。

◉ **MacBookシリーズ【まっくぶっくしりーず】**
ノート型のMacシリーズ。メインストリームの「MacBook Pro」、モバイル向けの「MacBook」(現在は販売停止中)、低価格モデルの「MacBook Air」の3機種がラインナップされています。

◉ **macOS Catalina【まっくおーえす かたりな】**
2019年10月にリリースされたMac用のオペレーションシステム。バージョンナンバーは10.15。最新OSであるMontereyのふたつ前のシステムとなります。

◉ **MACアドレス【まっくあどれす】**
ネットワーク接続できる機器に割り振られた固有のアドレス。原則としてIPアドレスのように番号が変化することがないため、接続する機器を制限するときなどに用いられます。

◉ **Mail【めーる】**
macOSに標準搭載されているメールクライアント。POP3、IMAPに対応しており、プロバイダメールやWebメールの送受信が可能です。豊富なフィルタが使えるメッセージ振り分けや「VIP」など独自の機能も便利です。

◉ **Mission Control【みっしょんこんとろーる】**
macOS標準のデスクトップ管理機能。複数のデスクトップを作成して切り替える「Spaces」、開いているウィンドウを一覧して切り替える「Expose」などの機能を含みます。control+上矢印キーで起動できます。

◉ **Numbers【なんばーず】**
スプレッドシート(表計算)を作成できるアップル製アプリ。ひとつのシートに複数のワークシートを配置できるなど、独自の機能も豊富。無料で利用できます。

◉ **Pages【ぺーじず】**
アップル製ワープロアプリ。テキストや写真だけでなく、ワークシートやグラフ、ムービーなどさまざまな素材を組み合わせて美しい書類を作成できます。

◉ **PDF【ぴーでぃーえふ】**
文書をデジタルで閲覧・印刷するためのフォーマット。使用するOSやアプリによってレイアウトが崩れることがないため、幅広く普及しています。macOSでは標準でサポートされ、ほとんどの標準アプリでPDFを作成できます。

◉ **Podcast【ぽっどきゃすと】**
音声ファイルの配信形式。Podcastアプリで番組を購読すると、エピソードが更新されたときに簡単にダウンロードして聴取できます。

◉ **Quick Look【くいっくるっく】**
macOS標準機能のひとつ。Finderでファイルを選択しスペースキーを押すことで、アプリを起動することなく内容を素早くプレビューできます。

◉ **Quick Time【くいっくたいむ】**
アップルが開発するマルチメディア技術の名称。Macで動画や音楽を再生したり、ビデオを編集するときなど、メディア全般を扱う際に利用されています。動画ファイル形式としての歴史も長く、拡張子「.mov」が用いられます。

◉ **RAM【らむ】**
パソコンを構成する重要なパーツのひとつ。CPUやGPUが処理するデータを一時的に格納する記憶媒体のこと。基本的にRAMのサイズが大きいほど、多数のアプリや大容量のデータを高速に処理できます。

◉ **Retinaディスプレイ【れてぃなでぃすぷれい】**
アップルが開発したディスプレイパネル技術。従来のパネルと比べPPI(インチあたりのピクセル数)が高く、まるで印刷物のような高密度・高精細な表示を実現しています。

◉ **RSS【あーるえすえす】**
Webコンテンツを配信するフォーマットの一種。ニュースサイトやブログで公開されているRSSフィードをRSSリーダーに登録することで最新記事をチェックできます。

◉ **Safari【さふぁり】**
Mac標準のWebブラウザ。macOSとの親和性も高く、独自機能も豊富。iOS版SafariとiCloudを経由してお気に入りやタブを同期できるのも便利です。

◉ **SharePlay【しぇあぷれい】**
FaceTime上で通話を継続しながら、複数人でビデオを見たり、音楽を聴いたり、そのほかのコンテンツを同時に楽しめる機能です。2021年の秋から提供される予定の新機能です。

◉ **Siri【しり】**
iOSではおなじみの音声アシスタント機能。SierraでMacに対応しました。Siriを起動したら、Macに調べて欲しい情報を尋ねたり、起動したいアプリを話しかけると、音声を認識して処理を実行してくれます。

◉ **SNS【えすえぬえす】**
FacebookやTwitterに代表されるソーシャルネットワークサービスの略称。Macではアカウントをシステムに登録すれば、標準ア[…]SNS連携機能が利用できます。

◉ **Spotlight【すぽっとらいと】**
macOSの検索機能。controlキーとスペースキーを同時に押して起動できます。インデックスが作成されるので、検索スピードが高速なのも特徴。

◉ **SSD【えすえすでぃー】**
パソコンのストレージ(記憶媒体)の一種。フラッシュメモリを使用しているので、ハードディスクに比べ読み書きが高速なうえ、振動にも強く静か。反面、容量あたりの価格が高いのが難点です。すべての最新のMacで標準で採用されています。

◉ **Thunderbolt【さんだーぼると】**
周辺機器を接続するための規格の一つ。USB3.0と比べデータ転送速度が高速で、給電パワーもパワフルなのが特徴。外付けハードディスクや外部ディスプレイを接続して利用できます。

◉ **Time Machine【たいむましん】**
macOSのシステム全体をバックアップし、いつでも復元できる機能。使用には外付けのストレージが必要です。ファイル単位の復元や新しくMacをセットアップする際にも使用できます。

◉ **Touch ID【たっちあいでぃー】**
指紋センサーで端末のロック解除やパスワード入力、Apple Payの決済などができる機能。iPhoneでは5sから採用されていますが、Macでは2016年発売のMacBook Proで初めて採用されています。

◉ **USB【ゆーえすびー】**
周辺機器を接続するための規格の一つで現在最も一般的なポートです。USBにはUSB 1.0～3.0まで3種類の規格があり、データ転送速度などに違いがあります。

◉ **USB-C【ゆーえすびーしー】**
次世代のUSB規格。MacBookシリーズをはじめ、最近のMacの多くに搭載されています。コネクタの形状や向きが統一され、双方向の給電が可能になり、データ転送も充電も同じポートでケーブル一本で可能になります。

◉ **Wi-Fi【わいふぁい】**
ワイヤレスでネットワークに接続するための規格。無線ルータなどの親機を用意すれば、MacなどをWi-Fiでインターネットに接続できます。基本的に接続には親機で設定したパスワードが必要です。

◉ **zip形式【じっぷけいしき】**
ファイル圧縮形式のひとつ。Finderの右クリックメニューから簡単に作成することができま[…]

ルなどで受け取ったZIPファイルは、ダ
ックで解凍できます。

● アップルメニュー【あっぷるめにゅー】
macOSの左上隅に用意されているメニュー。
どのアプリが起動していても常に表示され、再
起動やスリープ、システム終了などができま
す。アプリがフリーズしたときにもここから「強
制終了」を実行できます。

● エイリアス【えいりあす】
Finderの機能の一つ。エイリアスを作成すれ
ば、ファイルの保存場所を変更することなくエ
イリアスからそのファイルを開くことができま
す。

● 拡張子【かくちょうし】
ファイル名の末尾につける「.txt」や「.jpg」など
の文字列のこと。ファイルの種類を判別するた
めに使用します。アプリでファイルを作成する
と、形式に合わせた拡張子が付加されます。

● カラム表示【からむひょうじ】
Finderでの表示形式のひとつ。ファイル表示
が縦に分割され、フォルダを選択すると、内包
するファイルが右側のカラムに展開されていく
表示方法です。ファイルを選択すると、そのフ
ァイルの情報が表示されます。

● ギャラリー表示
Finderで使用できるコンテンツ表示形式のひ
とつ。画像ファイルのプレビューが大きく表示
されます。

● クラウド【くらうど】
インターネットサービス形式の一つ。データを
サーバ上に保存することで、クラウドに接続し
た端末でデータを同期させたり、他ユーザーと
のデータ共有がスムーズに行えるようになりま
す。サービスとしてはiCloud、Dropbox、Eve
rnoteなどがあります。

● 光学式ドライブ【こうがくしきどらいぶ】
CDやDVDを読み書きできるドライブのこと。
現行のMacには光学ドライブが搭載されてい
ないため、CDの音楽をインポートしたり、
DVDを再生するには、USB接続のドライブを
用意する必要があります。

● コンテキストメニュー【こんてきすとめにゅ
ー】
マウスの右ボタンをクリックした時に表示され
るメニューのこと。トラックパッドでは2本指で
クリック、1ボタンマウスではcontrolキーを押
しながらクリックすることで表示されます。

● サブスクリプション【さぶすくりぷしょん】
アプリの購入方法の一つ。一括でアプリを買

い取るのではなく、一定の利用料金を支払う
間、アプリを使用できる仕組み。常に最新バー
ジョンを利用できるメリットもあります。製品と
して、マイクロソフトの「Microsoft 365」やア
ドビの「Creative Cloud」などがあります。

● ジェスチャー機能【じぇすちゃーきのう】
トラックパッドで決められた指の動きをするこ
とでさまざまな処理を実行する機能。macOS
ではMission ControlやLaunchpadの起動な
どが実行できます。

● システム環境設定【しすてむかんきょうせっ
てい】
MacのOSやハードウェアの設定をカスタマイ
ズするアプリ。アップルメニューから開くこと
ができます。常駐するサードパーティー製アプ
リによっては、ここに設定項目が追加される場
合があります。

● ショートカットキー【しょーとかっときー】
マウスを使わずにキーボードだけでmacOSや
アプリの機能を実行する操作。基本的に「com
mand」キーとの組み合わせで使用します。メ
ニューの右側に使用できるショートカットキー
が記載されています。

● スティッキーズ【すてぃっきーず】
macOSに標準で用意されている付箋アプリ。
ちょっとしたメモを取る時に便利です。

● スマートプレイリスト【すまーとぷれいりす
と】
ミュージックの機能のひとつ。条件を指定し
て、合致した楽曲で自動的にプレイリストを作
成してくれます。レートをつけた曲やアーティ
ストを指定するなど、さまざまな条件を設定で
きます。

● スワイプ【すわいぷ】
トラックパッドのジェスチャのひとつ。トラック
パッドの表面を指で右もしくは左方向に「はら
う」操作。Safariで前後のページに移動する時
などに使用します。

● ソフトウェア・アップデート【そふとうぇあ・
あっぷでーと】
Mac App Storeで購入したアプリやmacOS
の更新をインストールすること。Storeアプリ
を起動し「アップデート」タブから実行できま
す。

● ダークモード【だーくもーど】
macOSのメニューやDockのカラーを暗くし
て目の負担を軽減する表示モード。システム環
境設定の「一般」から有効にできます。

● タッチバー【たっちばー】
2016年発売のMacBook Proから採用された
サブディスプレイ。ファンクションキーの代わり

に細長いタッチスクリーンが搭載され、タッチ
式のファンクションキーとして使用するほか、
対応アプリでさまざまな機能が利用できます。

● タップ【たっぷ】
トラックパッドを指でトンッと触れる操作。強く
押すとクリックと認識されるので注意しましょ
う。iOSデバイスでアプリを起動したりボタン
を押すときも同様に「タップ」操作をします。

● ツールバー【つーるばー】
アプリのウィンドウにある、機能ボタンが並ん
だパーツのこと。例えばSafariならアドレスや
「ダウンロード」ボタンがある部分のことです。

● テザリング【てざりんぐ】
iPhoneやiPadのモバイルネットワークを経由
して、MacなどのWi-Fi機器をインターネット
接続する機能。Handoffを使用すれば、接続し
たい機器からテザリングを開始することもでき
ます。

● ドラッグ&ドロップ【どらっぐあんどどろっ
ぷ】
アイコンや選択した範囲をドラッグして、フォ
ルダや開きたいアプリのアイコン、デスクトッ
プなどに重ね、マウスのボタンを離す（ドロッ
プする）操作です。

● ピンチ【ぴんち】
トラックパッドのジェスチャの一つ。2本指を少
し開いてタップし、タップしたまま2本の指を開
いたり閉じたりする操作。拡大／縮小の操作な
どでよく使用されます。

● ペアレンタルコントロール【ぺあれんたる
こんとろーる】
ユーザーの年齢などに合わせて、起動できる
アプリや再生できるコンテンツ、閲覧できる
Webサイトなどを制限する機能です。

● ホームシェアリング【ほーむしぇありんぐ】
iTunesのライブラリを、ホームネットワークに
接続しているコンピュータやiOSデバイスと共
有してストリーミング再生できる機能。最大5
台まで接続できます。

● ユニバーサルコントロール
近くにあるiPadを、Macのマウスとキーボード
でシームレスに操作することができる便利な
機能です。2021年の秋から提供される予定の
新機能です。

● ライブ変換【らいぶへんかん】
macOSの日本語入力で、かなを入力するだけ
で自動的に漢字に変換してくれる機能。変換す
るためにスペースキーを押す手間が省け、入
力効率が大幅にアップします。設定でオフにす
ることも可能です。

Mac First Experience Perfect Guide

はじめての Mac
パーフェクトガイド
2022

2021年12月15日発行

執筆
河本亮

カバー・本文デザイン
ゴロー2000歳

本文デザイン・DTP
西村光賢

編集人:内山利栄
発行人:佐藤孔建
発行・発売所:スタンダーズ株式会社
〒160-0008
東京都新宿区四谷三栄町12-4
竹田ビル3F
電話　03-6380-6132
印刷所:株式会社シナノ